に各分野にAIが導入され始めたことと無関係ではありません。

　将棋や囲碁の世界で、AIが人間に勝ったというニュースを耳にしたとき、マーク制作ソフトの登場は容易に想像できました。いいものができるかどうかは別として、ネット上にある世界中のマークを収集し、検証して編集し、ある目的のための図形を100案、いえ1000案つくらせるのは簡単なことでしょう。

　このような時代を迎えた今、自分が制作してきたマークにどんな意味があるのか。そして今後AIが人と環境、人と人、人と物の関係を変えて行く先に、あえて人間がマークをつくることに見出される意味は何なのか。それを自問するとともに、多くの方に見て読んで、考えていただくきっかけになれば幸いです。

　各マークには、短い文章ではとても語り尽くせない物語が埋め込まれていますが、ここでは最も語りたい部分に焦点を当て、テンポ良く読んでもらえるよう心掛けました。津々浦々の方々との協業と試行錯誤の記録をお楽しみいただければ嬉しいです。

[用語]
マーク……創作した図形
ロゴ……創作した文字
ロゴマーク……文字を含めて創作した図形
CI（コーポレート・アイデンティティー）……会社独自の共通性
VI（ビジュアル・アイデンティティー）……視覚的共通性
グランドデザイン……組織やブランド全体のデザイン
ピクトグラム……絵や図で表現した印（例：道路標識）
セリフ……欧文活字書体の画線の末端の突起
サンセリフ……セリフのついていない欧文活字書体
うろこ……漢字の横画の右端につく三角形の山

「さかさかさ」に込めたメッセージ

この逆さに傘を持っている人の青いマークは、私がディレクター
を務めて2007年に21_21 DESIGN SIGHTで開催した、「water」
展のためのものです。傘は通常雨をよけるための物ですが、逆
さにすると雨を集める形になります。人類がこれから水をどう
デザインできるかは、地球上で生命が生き延びていけるのかとい
いう大きな問題と不可分です。水をテーマにした展覧会に、メッ
セージを込めた象徴的なマークが必要なのではないかと思い制
作しました。世界を見渡してみると、蛇口から出る水を安心し
て飲めない国がほとんどです。そしてわれわれの食べ物をつく
るためにも、工業製品をつくるためにも多くの水が使われてい
る。牛丼一杯に使われている水の量はなんと2000リットル。牛
の飲む水、コメや牛を育てるために必要な穀物をつくるための
水です。目に見える水はごくわずかで、目に見えないところで
水が世界を支えています。展覧会の開催と同時に、このマーク
を著作権フリーにしました。世界中の人が、この傘を逆さに持っ
た水色のシルエットを、水を考えるさまざまなプロジェクトで
どんどん使用して欲しいと願ったからです。

想像力の入口

そもそも国立科学博物館のような場所は、どのような意味を持っているのか。まずはそれを突き詰めなければ、シンボルは制作できません。依頼を受けてさっそく、博物館にあらためて行ってみました。世界の岩石、昆虫の展示、動物の剝製(はくせい)、望遠鏡の歴史、人類の歴史、宇宙の成り立ち、そしてロケットなど最先端技術の紹介その他、あらゆる物が解説とともに展示されています。子どものころからワクワクさせてくれたここは、そもそもいったい何を提供している場なのかを考え直してみると、想像力を育むところであることに気づきました。さまざまな事象から、過去を想像し未来を想像することで活力が生まれ、これから人類が生き延びていくアイデアも生まれる。スケッチをしながら、恐竜の上顎(うわあご)をモチーフにしたシンボルマークにたどりつきました。「想像力の入口」という言葉もマークに添えましたが、恐竜の上顎だと気づいてもらう必要はなく、このマークを見て、「これって、アレだね!」とすぐにはわからない程度に表現を抑えたのです。「何だろう?」と想像していただくために。

不採用案の一例©TSDO

皿が割れたとき

キッズデザイン賞は、子どもの環境に配慮した優れたデザインを称える顕彰制度です。子どもに安心して安全に提供できる物や仕組みに与えられる賞のマークは、ふつうなら「安心安全」をテーマにデザインを考えます。まずはこの方向で検討してみたのですが、そのようなマークはすでに無数にあることが容易に想像できたのでやめました。一から考え直してみると、人は安心安全であるときは、そのことに気づかないものです。つまり危険なことが起こったときに初めて、そのありがたみに気づくのです。いろいろな方向でラフスケッチを描きながら、身近に潜んでいる危険な状態を想像し、形にしていきました。そしてマークですから、小さく使用されることもあり、複雑な絵ではなく、できるだけ単純なものでなければなりません。ああでもないこうでもないとラフを描いているときに、皿が割れている形に見えてきて、「これだ！」と思ったのです。割れていく過程の形で、KIDSの頭文字であるKを表現できるではありませんか。その形を調整してできあがったのが、このマークです。

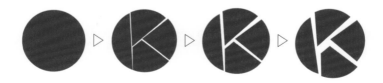

奥歯を上から見る

虫歯の原因になる酸をつくらない甘い成分キシリトールを甘味料として使用し、1997年に発売されたのが「ロッテ　キシリトールガム」です。このパッケージデザインの依頼を受け、「デンタル」というコンセプトでデザインしてみてはどうかと考えました。つまり、お菓子やそれまでのガムのイメージでデザインするのではなく、歯科医療や歯磨きのイメージをガムの世界に持ってきてはどうかという発想です。このアイデアをもとに、ロゴや色などを検討しました。そして発売当初、粒タイプのほかに、板ガムタイプ、タブレットなど、形状違いの商品がいろいろ開発されるとのこと。これらは店頭でそれぞれ離れた場所に置かれると聞いていたので、一瞬で同じブランドだとわかったほうがいい、それならマークをつけてみようと思ったのです。デンタルというコンセプトに基づいて、奥歯を上から見たところをマークにしました。このマークは、店頭で置かれる向きが縦でも横でも、同じものに見えるようにデザインしています。

建築もマークにする

これは建築俯瞰図面を、そのままマークにしたものです。アイデアを考えているときに、ふと俯瞰図を見てみたら、そこにすでにマークがあることに気がつきました。建築が造られるときには、目的、地域の文化、機能、構造、独自性、耐久性、予算などあらゆる検証を積み重ねて形になっていくものです。つまり建築そのものが、すでに諸条件をクリアした形としての象徴なわけです。マークも施設を象徴するものとしてつくられます。そうであれば、さまざまな意味が凝縮された建築の俯瞰図に浮かぶ形をモチーフに使うことには意義があるのではないか。そもそも21世紀を想像して、わけがわからないマークをつくること自体が古い手法のように思えていたので、最終的にこのマークにたどり着きました。建築そのものを横から見てマーク化した既存の例にパリのポンピドゥ・センター（美術館）がありますから、手法としてはすでにあるものですが、金沢21世紀美術館は方向性を持たない円形のなかに部屋がレイアウトされているため、俯瞰からの図面をそのままマークにしました。これにより、建築、マーク、そして館内サインがひとつの同じ形にまとまったのです。

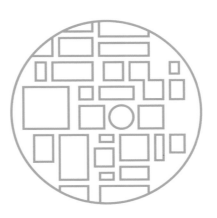

見えないところで支える

厚生労働省が、依存症に対する治療・回復支援への理解を広める
ためのシンボルマークを制作することになり、依頼を受けま
した。クライアントからのお話を伺い、アルコールやギャンブ
ル、薬物などの依存症は、当事者の意志が弱いからだとする偏
見や、それによる差別があることを知りました。また、自分自
身も偏見を抱いていたのではないか、と反省するところから始
まった仕事でした。このように、まったく知らない世界のマー
クを制作するときは、まず状況を正しく理解することが重要で
す。そして考えたのが、やはり人を想い気遣うときに大切なも
のはなんといっても心であり、ハートを超えるモチーフはない
ということでした。ただし、どこにでもあるハートでは独自の
マークになりません。一見すると蝶に見えるこのマークは、横
につなげると、じつはハートが現れます。これをバタフライ・ハー
トと名づけました。依存症に苦しむ方の自立を促すために、あ
からさまにやさしさを表現するのではなく、見えないところで
やさしさが支えているという意味を内包したマークです。

可能性を秘めた、未完成の存在

ヘルメットをかぶり、斜め上を見上げる高校球児の頭部を形にしました。制作途中では、バットやホームベースなど、一瞬でわかるさまざまな野球アイテムをスケッチしました。プロ野球がバットを印象的にマークにしているため、なんとかヘルメットをテーマにできないだろうかと考え、最終的にここに至りました。ただし依頼者には、ほかの野球関連のアイテムをモチーフにしたアイデアも複数提案しています。決定したこのマークは、優勝を目指して立ち向かう姿に、バッターボックスに立ってピッチャーの投げるボールに集中する高校球児の姿を重ね合わせたものです。色は、プロ野球の世界のようにカラフルな多色使用ではなく、若さを表す青一色に。そして顔にあたる部分が、まだ顔として形を成していません。そこに、一人一人が模索しながらこれからいかようにも成長し、それぞれが形を成していく過程であるという意味を込めました。つまり、未完成のシンボルマークを完成させた、というわけです。

不採用案の一例©TSDO

大正製薬 ゼナ

意味がわからない

このマークは、大正製薬の滋養強壮ドリンク剤「ゼナ」のために制作しました。最初に行なったことは、すでに販売されている滋養強壮ドリンク剤をできる限り集め、その共通項を検証することでした。普段からこの手のドリンク剤のデザインに、なんとなく不思議な魅力を感じていたからです。そこを外すと売れないだろうと直感しました。デザインを化粧品のようにシンプルにすることはいくらでもできますが、そんなイメージのドリンク剤は売れなさそう、ということです。そしてたどり着いたコンセプトが、「意味がわからない」でした。このようなドリンク剤を飲みたい人、つまり疲れているときの心理を考えたときに、よくわからないけれど効きそうなものに人は惹きつけられ手が伸びるという発想です。デザインはふつう「わかる」ものを目指しますから、クライアントを説得するため、その後「わかる」デザインも200案ほど制作し、検討していただきましたが、最終的には一番初めに提案した、この「意味がわからない」マークがついたパッケージデザインに決まったのです。

みんなが笑える世界に

お笑いを売りにしている吉本興業のマークはどうあるべきか。それまで使用していた「吉」という漢字が笑っているマークも、とてもユニークでいいデザインだと思います。「笑顔」はなんといっても吉本にとっての財産ですから、新しいマークにも引き継ぐべきだと考えました。そして決定したこのシンボルマークは、言葉での説明を必要としない、世界共通のビジュアル言語です。しかも吉本ですから、微笑んでいる「笑顔」ではなく、大笑いしている「笑い顔」です。よく見ると、口がハートになっています。理屈を超えて、みんなが心から笑える世界をつくる手助けをすること。笑いを主軸に、少しでも面白いことがしたい。そして笑いによって心が通じ合う環境をつくり、社会に貢献したい。そんな会社の想いを形にしました。使用規定はつくりましたが、このマークをもとにアート作品をつくったり、顔の表情を変えたり、吹き出しをつけたりすることを可としました。みんなが楽しく参加できるシンボルマークなのです。

旧マーク

知恵と知識の輪郭

依頼を受けた2006年当時、国立大学の法人化により社会に対する積極的な広報活動が急務になり、北海道大学も伝統的な校章とは別にコミュニケーションマークを制作することになりました。その歴史は1876年開校の札幌農学校にさかのぼるため、商品などにつけるマークとはいえ、知の集積をなんとか表現できないだろうかと試行錯誤を繰り返し、数案提出して決定に至ったのがこのマークです。これは、当時創基130年だった北海道大学の地図上の位置を中心に、北海道を130度回転させてでき上がった形です。つまり１度を１年とし、10年ごとに線を入れました。回転するというアイデアが知恵（IDEA）を、回転による軌跡が知識（KNOWLEDGE）を表し、「知恵と知識の輪郭」という言葉を添えてお渡ししました。北海道の形はすでにあるものなので、最終的なマークの形は私が描いたのではなく、考えたプログラムによって生まれた形と言えます。そしてこのプログラムに則れば、10年経つとまた輪郭線が１本増えることになり、世界でも珍しい「生きているマーク」になることでしょう。

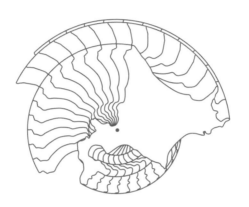

三位一体、ここにあり

大地の芸術祭 越後妻有は、新潟の十日町市・津南町を中心に行なわれる地元に根付いた芸術祭で、総合ディレクターの北川フラムさんからクリエイティブディレクションの依頼を受けたときは、この芸術祭が始まってからすでに数年経っていました。そこでその年の芸術祭にさっそく足を運んでみました。山間の建物や畑、トンネルなど、あらゆる風景のなかにアート作品が展示されているだけでなく、地元農家の人たちが笑顔で誇らしく受付をしているのです。つまり、アーティスト、地元の住民、行政が見事に力を合わせて成り立っている画期的な芸術祭であることがわかりました。三つの異なる立場の人たちが芸術を中心にひとつになっている。これをまず、マークで表現するべきだと考え、もっとも単純な形、黄色い逆三角形を提案しました。多くの芸術、そしてそれが自然のなかにあるとき、ここでは世界中の誰もがすぐにわかる単純な形がシンボルとしてふさわしいと思えたのです。注目を集める色として黄色を配し、逆三角の形には、「ここです」という標識の意味も込めています。

Photo: Osamu Nakamura

これ、知ってた?

鯨が潮を吹いている横で、ペンギンが1羽夜空を見上げている、南極を思わせるなんともいい雰囲気の絵がついたパッケージで長年愛されたクールミントガムが、7枚入りから9枚入りに変更になるタイミングで、デザインのリニューアル依頼を受けました。9枚入りになると、天面と正面の幅がほぼ同じになり、しかも店頭ではふたつの面が同時に見えるということに気がつき、COOLMINTという文字の面と絵の面を分けるというアイデアを思いつきました。そこで5羽の同じポーズのペンギンを並べてみたのですが、前パッケージについていた絵の奥ゆかしさが足りないと気づき、よく見ないとわからない仕掛けをしたいと考えました。こんな遊びは、お菓子だからこそできるわけです。そこでひらめいたのが、5羽いるうちの1羽だけに手を上げさせるというアイデア。見つけた人がきっと隣の人に「知ってた?」って声をかけてくれるだろうと想像しました。そして前から2番目のペンギンに、そっと手を上げさせました。人間社会でたとえると、先頭の社長に2番手が勇気を出して後ろの社員の意見を伝えているところ、と見ることもできます。

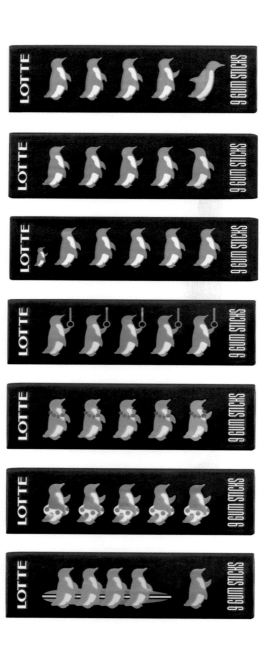

つながれ、風車

このシンボルマークのテーマは、風車(かざぐるま)です。一見、風車には見えませんが、このパターンを横につながるように並べてみると、マークとマークのあいだに風車が現れます。風車は、光村図書出版が1950年に初めて発行した、小学校「新国語」6年下巻に掲げられた詩「風車の歌」に登場します。詩のなかでは、この4つの羽根は「話す・聞く・読む・書く」というコミュニケーションの基本を指していますが、そこに光村図書出版は、生命の源泉の象徴として「頭脳、心、手、健康」、世界平和の象徴として「東、西、南、北」、文化の理想の象徴として「真、善、美、聖」という意味を重ね合わせました。つまりこの詩に、同社の精神が重なり、そして理念となり、これまで歩み続けてきたわけです。風車は今まで、目に見えないシンボルとして社員の心のなかにありました。そこに形を与えたものが、このシンボルマークです。人と人、知恵と知恵がつながり続いていくあいだには、風車が回り続けていて欲しいという想いを込めて、この「つながる風車」ができあがりました。

日本画の繊細さ

山種美術館は日本画専門の美術館です。このシンボルマークは、じつは横組みのアルファベット「YAMATANE」と、縦組みの漢字「日本画」を重ねた形です。「YAMATANE」の文字は縦線を長くし、「日本画」の漢字は横線を長くして、格子状に組み合わせ、外形を「和」を表す円にしました。横組みの英数字が普及している日本の現代社会において、それを否定することなく縦組みの文字と組み合わさり、しっかり根付いている現代日本文化、日本画の姿をここに表しています。色は、日本画によく使用される日本の伝統色、群青色です。そして、細かい線のあいだが一部空いていて、一見完成していないように見える形に、人の想像力を引き出す日本画の「余白」という意味を重ね合わせています。さらに、力強い単純な形で目立たせることを目的化したブランドマークのような存在ではなく、日本画としての繊細さが山種美術館のマークにふさわしいのではないかと考えました。マークは、強くもできれば繊細にもできます。どうチューニングするかは、常に内容によるわけです。

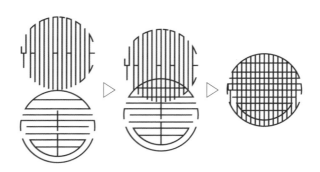

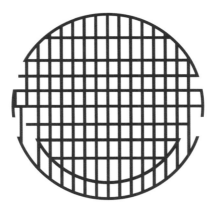

美の瞬間

美術関連の本を長年出版してきた会社のマークがどうあるべきか。いくつもの案を提出したなかで決定したこのマークは、ぱっと見では意味がわからないものです。そもそも美術というものは、一見しただけではその意味は理解できず、解釈は見る人それぞれにゆだねられていいはず。美術の本質にさかのぼることによって、このような案ができあがりました。それではこのマークは何か。まずよく見るとマークのなかに白い点がひとつついています。「美」という漢字のそれぞれの画がこの白い点を中心に回っていて、一瞬「美」という漢字になります。そしてそのまま回り続け、あるところで止めた形がこのマークなのです。止めるタイミングは、あくまで私個人の美の感覚です。不思議な美しさを感じた瞬間で止めました。つまり、美というゴシック体の漢字をまずつくり、それを画ごとにバラバラにして、いろいろな点を中心に回転させ、美しい瞬間が訪れるときを待ってできあがったマークなのです。これは、独自のプログラムから生まれたマークと言えるでしょう。

好奇心の多様なカタチ

このマークは、公益財団法人稲盛財団が主催している、科学の楽しさ、そして科学を通して想像力を育んでもらう活動「こども科学博」のシンボルマークです。そもそも子どもはあまり物事を理屈で捉えないので、「何だろう？」と興味を持つ機会が大人よりもはるかに多いわけです。不思議なこと、わからないこと、理解できないこと、そこに興味を持つことすべてが、これからの未来を切り拓くきっかけになります。こども科学博は、そういう子どもたちの可能性を引き出す場として生まれました。このマークは、不思議な穴を子どもが覗いているような、あるいは丸い窓から未来を眺めているような、はたまた想像で頭がふくれているような。まさに子どもたちのように、イメージを固定するのではなく、いろいろな見方ができるマークとして制作しました。想像力を育む場のマークは、それを体現していなければなりません。マークの制作は常に、組織や集団の存在意義を明確にしながら、アイデアを模索する作業が肝要です。ちなみに深いオレンジ色は、大人が子どもたちを温かく見守る色として選択しました。

不採用案の一例©TSDO

ほどほどに堂々と

鳩居堂は、京都と東京にお店を構えて書画用品やお線香、和風文房具などを扱う老舗専門店です。私が依頼を受けたのは京都の鳩居堂で、お線香のパッケージデザインや新商品の企画などを担当しています。ここの代表を務める熊谷直久さんがとてもユニークな方で、パッケージの具体的な依頼のほかに、何か思いついたら何でもいいので提案してくださいと、いつも笑顔でおっしゃるのです。なかなかこのような方に出会ったことがありません。そしてある日、お店で使用されている袋などに鳩居堂らしいシンボルがあったほうがいいのではないかと提案したところ、まず見てみたいとのことで制作したのがこのマークです。長い歴史の上に今があるお店なので、堂々とした佇まいと、新しく見えないことが重要であるということを念頭に制作しました。当初、紙袋にはどっしり大き目に入れてもよいのではないかと提案したところ、そこまで大きくはしたくないと希望されたので、ほどほどの大きさに調整して仕上げました。

描きながら出会った形

島村楽器のマークは、音符と翼を一体にした形です。音楽は、まるで翼が生えているかのように、どこへでも私たちを運んでくれる魔法のようなもの。このシンボルマークには、音楽が導いてくれる無限に広がる素晴らしい世界と、多くの人をつなぎたいという島村楽器の願いを込めました。ふつうはこのような会社のマークであれば、まず一目で「音楽」関係の会社であることがわかる表現を考えるものです。私も例外ではありません。楽譜に用いられる記号などを使えるか、検討してみました。まずト音記号——調べなくても世界中にあることが想像できます。五線譜——五本の線だけでは、音楽を想像できません。四分音符——下に斜めの楕円を描いて、上方に一本線を伸ばしただけでは印象的なマークにならないでしょう。次に八分音符——先ほどの四分音符よりは個性的な形の可能性を感じます。しかしこれだけではマークになりませんし、楽器のマークでは音楽の種類を規定してしまいます。そんなダメなスケッチも描きながら、ダメであることを確認する作業を続けていくうちに、翼のついた音符に出会いました。頭と手を同時に働かせたすえに到達したマークなのです。

島村楽器

入り口を表すリップマーク

東京駅に展開する商業施設群「グランスタ」のシンボルマークは、口（リップ）がモチーフです。東京駅は、通勤・旅行・ショッピングなど、あらゆる用途で多くの人が利用する、まさに東京の入り口であり、丸の内口・八重洲口というように、各所で口が名前についています。ここには、美味しいものを食べられる店、生活を彩る商品を置いている店が数多くあり、そこで起こる楽しい会話もリップを通して生まれます。しかしこのマークの特徴は、一見しただけではリップとはわからないところです。それは、「このマークは何を意味するのだろう？」と興味を持ってくれた人と、会話が生まれるきっかけを作るためです。興味を持ったものが理解につながると、人はその情報を忘れません。さらにこのリップは、14個の円の縦移動の軌跡によってできているので、円を縦に動かし声をつけると、まるで喋っているような映像を制作できます。映像の時代に対応できる、喋るマークでもあるのです。

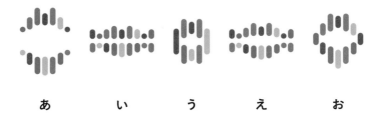

あ　　　　い　　　　う　　　　え　　　　お

瞳をマークに

このマークは、いわさきちひろ（1918-1974）の絵本美術館のために制作したものです。1997年、安曇野ちひろ美術館のオープンに際し、すでにあった東京館も含め、このシンボルマークが使用されることになりました。いわさきちひろの美術館ですから、マークではなくまずはちひろの絵そのものをシンボルにすることがひとつの方向として考えられるわけですが、世界各国の絵本の紹介など、ちひろの絵だけに留まらない広く開かれた美術館であることから、さまざまな角度から方向性を検討することになりました。そこでたどり着いたのが、ちひろの絵のなかでも特に印象的な「瞳」をモチーフにしたこのマークです。抽象的にすることによって、イメージに広がりを出しています。中央の小さな円が子どもを表していて、上下にある半円が大人を表し、大人が子どもを支え、見守っている姿を表現しています。子どもは常に外の世界とつながっていて、外に遊びに行ってもいつも安心して帰れる居場所がある。まさにそれが、ちひろの描いた世界なのだろうと感じるのです。

いわさきちひろ
「ピンクのセーターを着た少女」
（1970年）

財産を活かす

行列ができるコロッケ屋として開店当時話題になったブランド、
「神戸コロッケ」のマークです。私が関わり始めたときには、す
でに全国の百貨店や商店街に多くの店舗を展開していて、コロッ
ケ界では大きなブランドに育っていました。招き猫をマーク化
したシンボルはブランディングを導入されたときから使われて
いて、ある程度認知度もありましたが、アートディレクターが
途中で何人か交代し、まったく違ういくつかのキャラクターが
同時に存在するという雑然とした状態でした。つまり、最初の
キャラクターが残っている古くからあるお店もあれば、新店舗
では新しいキャラクターを使っているというチグハグな状況です。
そこでコロッケ自体も開店当初の原点に立ち返り、味の見直し
をするとともに、招き猫のキャラクターも伝統的な親しみのあ
る表現にまとめ直すことを提案。それが採用され、今に至って
います。このタイミングで招き猫家族をつくって、それぞれに
名前をつけ、性格づけもしました。このように、ときにはバラ
バラになってしまっているものをまとめ直す作業に、マーク制
作が関わることもあるのです。

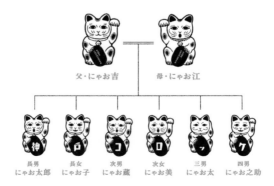

父・にゃお吉　　母・にゃお江

長男　　　長女　　　次男　　　次女　　　三男　　　四男
にゃお太郎　にゃお子　にゃお蔵　にゃお美　にゃお太　にゃお之助

美味しそうなマーク

これはテレビ放送局ＢＳ朝日のマークです。ASAHIの頭文字
「Ａ」をシンボライズしました。頭文字をシンボルにするのは、
マークの制作における定石です。デザイナーが第一に考える手
法と言ってもいいでしょう。このマークは、その「Ａ」の形を
いろいろとスケッチしているときに、描きながらたどり着いた
案です。「Ａ」の文字の形は、斜めの線２本と真ん中の水平線
１本の、直線だけの組み合わせでできていますから、基本形は
シャープで切れ味が良く、硬い印象になります。描いているう
ちに、曲線のやさしい印象にならないだろうかと考えました。
しかもＡに見えなければいけません。丸く丸く描いているう
ちに、真ん中の抜けている部分の形がきれいな円になることに
気がつきました。柔らかい外形ができあがったので、今度は膨
らませてみてはどうかと思い、立体的に加工していったらキャン
ディーのようになり、オレンジの色を加えてみると、なんと
も美味しそうなマークになったのです。そして、人が求める、
世に資する情報を提供する使命を担っているという意味をそこ
に与え、完成させました。

自然にゆだねる

このマークは、一滴の墨汁を紙に落としたときにできた偶然の
形です。つまり、最終的な形は自然がつくっています。一滴の
墨汁の量、墨汁を落とすための器具、それを固定するための道
具、下に敷く紙の質感、落とすときの高さと力加減はそれぞれ
人間が決めているわけですが、最後は自然にゆだねています。
自然にゆだねる行為は、書や焼き物の世界でもわかるように、
古代からアジアそして日本の風土に根ざした自然観であり、
瓜生山学園京都芸術大学の建学以来の姿勢にもその精神が感じ
られました。いかにも人工的な形のマークも提案しましたが、
このコンセプトに共感してもらえて、決定に至りました。同一
の形がふたつとしてないそのありようは、生命の多様性や、ひ
とつひとつの命の尊厳を象徴し、学園の理念である「藝術立国」
がめざす新たな人間観、世界観を表しています。このマークを
制作したころから、あらゆる物が最後は自然にゆだねられるの
であれば、デザインのプロセスにその一段階を取り入れてみて
はどうかと考え始めていました。

5つの輪ゴム

YRGLM（イルグルム）は、データとテクノロジーによって企業のマーケティング活動を支援する会社です。この会社のCI、つまり新社名の提案から企業理念、スローガンなどの再考をするなかに、マークとロゴの制作もありました。ゆえに作業は、まず社員の方々へのインタビューから始めることにしました。若い社員が比較的多いこの会社の雰囲気がとても良く感じられ、どこにその財産が潜んでいるのかを把握する必要があったのです。そしてできあがったマークは、誰もが知っている「輪ゴム」です。名前自体に意味を持たないYRGLMという5つのアルファベットに合わせて、5つ並べました。通常のシンボルマークは変化しないひとつの形ですが、YRGLMのシンボルマークは5つの輪ゴムの位置関係がさまざまに変化します。動かないマークではなく、動きながらアイデンティティーを保つことができるマークということです。そもそも輪ゴムそれ自体も意味を持たず、使用されることによってそこに意味が発生します。使いかたによって無限の可能性がある素材は、YRGLMという会社そのものなのです。

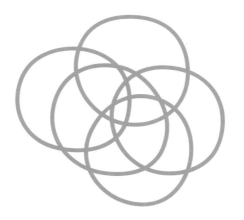

束ねる

ティシューペーパーやトイレットペーパーなどで知名度がある
エリエールは、大王製紙のブランドです。elleairは、フランス
語のelle（女性）とair（風）をつなげた造語です。ここに込めら
れた意味は「風の妖精」。まるで心地よい風のように寄り添っ
てくれる製品を、多くの方々に届けたいという想いからこの名
前が生まれました。それまで使用されていた「エリエール」と
いうカタカナのロゴは線が細く弱い印象であったため、今後の
海外展開なども視野に入れたアルファベットのロゴやティシュー
ボックスのパッケージデザインなども含め、トータルにブラン
ドを見直すことになり、依頼を受けました。最初からマークの
依頼があったわけではなく、エリエールというカタカナ表記と
elleairというアルファベット表記がしばらく併記される都合で、
それを束ねる意味でマークが必要なのではないかと考え、地球・
風・やさしさを表現したこのマークを提案しました。このよう
に積極的にこちら側からマークの存在意義を提案することもあ
るのです。

はみ出す作法

東京・南青山にある岡本太郎記念館のマークです。黄色い正方形は、固定概念に縛られた四角四面の現代社会を抽象化したもので、その正方形から、岡本太郎が描いた目のシンボルがはみ出しています。はみ出していながら、常に正方形との関わりは保つ。これは、メッセージ性があり大胆で強烈な作品を生み出してきた岡本太郎が、常に社会のなかでのアートの役割を考えていたことを表現しています。「芸術は爆発だ！」と言いながら、岡本太郎はデザイナーの集まりである日本デザインコミッティー（p.248参照）の活動に参加していたという事実もその証左でしょう。「座ることを拒否する椅子」を制作した岡本太郎が、世界的な建築家の丹下健三やインテリアデザイナーの剣持勇らとともにデザインの啓蒙を目的とした会に参加していたことは、非常に興味深いものがあります。マークの正方形には、注意を喚起する色として黄色を配置しました。黄色は明るい色なのでその輪郭がはっきりしないのですが、固定概念というものは常に輪郭が見えにくい、という意味もここに込めているのです。

岡本太郎（岡本太郎記念館 提供）

深刻さから楽しさへ

脳活総研の正式名称は脳活性総合研究所で、認知症予防のために脳活性度定期検査を実施している会社です。認知症は脳の病気です。発症してから治療するのでは遅いため、事前の予防が大切なことからこの事業が始まり、マークの制作依頼を受けました。人は元気なうちは予防に対する意識が薄いものです。しかし一度罹患すると治らない病気の場合は、予防が大切になります。つまりこの場合は、病気になっていない健康な人に気に留めてもらう必要がある。マークを考えるにあたり、ふたつの大きな方向が頭に浮かび形にしてみました。ひとつは病気を連想させる、やや深刻で脳の繊細さを感じさせるイメージのもの。そしてもうひとつは、反対に活発で楽しいイメージのものです。結果は後者に決まりました。元気で健康な人に気軽に検査を受けてもらう場合は、軽い楽しい印象のほうがいいという選考理由です。ちなみに一筆書きで頭がクルクル回っているイメージのこのマークは、ウェブサイト上でカーソルを合わせると、反応してプルプル動きます。脳が活性化している状態をそこに表現してみました。このQRコードから映像を体験いただけます。

等高線がつくる形

P．G．C．D．JAPANは化粧品ブランドの会社です。この会社
のパッケージデザインなどにも長年携わっていますが、このマー
クの依頼を受けたとき、前社長が「九州から東京に出てきたこ
ろ、富士山を越えるという意味は自分にとって大きかった」と、
初対面の私にとても感慨深く語ってくれたのを思い出しました。
日本一高く美しい山に想いを馳せる、あるいはそこに意味を込
めることは、この大地に生まれ育った多くの民が、日本という
国ができる以前の縄文時代からやってきたことではないかと想
像しました。そんなことをもやもやと考えながら、いろいろと
スケッチをしてみました。ただし横から見た富士山では、あま
りにも芸がありません。どうすればオリジナリティーが出せる
かと悩み始めた次の瞬間、上から見たときの等高線はどうなっ
ているのだろうかと気になり、すぐに調べてみました。すると
どうでしょう。美しいシルエットの富士山とはいえ、等高線は
もちろん正円ではない、いい感じで歪んだ形がそこに現れてい
るではありませんか。さっそくその路線を採用し、マークとし
てまとまりがある高さで切り取ることにしたのです。

NASA Image and Video Library

うかびあがる富士

山梨県立富士山世界遺産センターのシンボルマークのコンセプトは、「うかびあがる富士」です。富士山は、形の美しさだけではなく、25の構成資産のすべてを含めて、世界遺産に登録されました。その優雅な姿の背景に、多くの貴重な文化遺産が潜んでいます。この施設は、まさにこの豊かな構成資産のそれぞれを知ってもらうことにより、眺めるだけではわからない富士山の本当の姿を、心にうかびあがらせてくれるところです。ゆえにシンボルマークは、富士山そのものを表現するのではなく、太陽を背景にそのシルエットをうかびあがらせました。映像も同時に制作し、そこでは太陽の色が刻々と変化し、同時に富士のシルエットの印象が移り変わります。そしてシルエットの裾野にあたるところに、25の構成資産を表すポイントをつけた結界をあしらいました。このようにこのシンボルマークは、一番奥に太陽、その手前の富士、さらに手前の結界という具合に、奥行きをもったひとつの景色になっています。マークの制作に、ひとつの形になっていなければならないというルールなどないのです。

山梨県立富士山世界遺産センターの庭にあるモニュメント。
マークのあいだに並んで記念写真が撮れる。

会話が生まれる

松屋銀座が2019年に創業150周年を迎えるにあたって、150周年プロジェクトが立ち上がりクリエイティブディレクターに就任しました。松屋には、デザインの啓蒙活動を続けてきた日本デザインコミッティー（p.248参照）とともに長年活動してきた歴史があります。そこでまず「デザインは気遣い」と定義し、「デザインの松屋」という標語を提案。あらためて社内外に広めていくことになりました。これにより、松屋はデザインを通して生活を豊かにするお手伝いをしているという会社の存在意義を共有することになり、そのために社員が参加するさまざまな楽しい委員会もつくりました。そしてこのプロジェクトで象徴的だったものが、このマークです。このマークがこのままバッジになり、社員が胸につけます。シンプルなのでファッションのアクセントとしても邪魔になりません。また、お客様から「それってなんですか？」と聞かれたときに、社員はその意味について答えられなければならない。つまりこのマークは、150周年プロジェクトを全社員が「自分ごと」として正確に理解するためのツールでもあったのです。

▽

デザインの松屋

▽

▽

▽

●

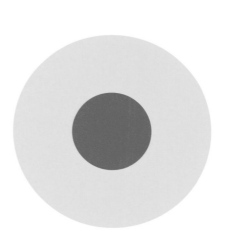

新しく見えてはならない

このマークの依頼を受けたとき、菊正宗酒造は創業360年の歴史を背負っていました。そしてよくあることですが、シンボルと言えるマークがそれまでなかったのです。すでに始まっていた日本酒の新ブランドの立ち上げの仕事を進めながら、今後海外に進出していくことも想定すると、やはりマークが必要なのではないかという議論から話が始まりました。それだけの歴史ある会社のシンボルマークがどうあるべきか。現代／未来的な印象で制作することももちろん可能です。そのようなイメージのマークもスケッチしてみましたが、比較的早い段階で、この方向は間違っていると気がつきました。ここで一番大切なのは、新しくつくられたという印象にしてはならないということだったのです。現在までの歴史を束ね、流行に左右されない、まるで昔からあったようなシンボルマークであるべきだと考え、このマークを制作しました。菊を横から見た図で、すべての花弁が中央上部に向かっています。このことが、事業が多様に発展しながらも、菊正宗としてひとつの方向に向かっていく強い意志を表しています。

マークの元になったアイデアスケッチ

錯覚を利用する

メディア芸術作品を世界から募り、優れた作品を評価し国内外に紹介する、文化庁主催による芸術祭のマークです。メディア芸術といえば、デジタルを使う、あるいは映像や機械的に動くもの、体験型の作品などを想像しますが、その芸術祭を象徴するマークが動かないグラフィックでなければならないわけですから、さすがに悩まされました。そこで思いついたのが、錯覚を利用したマークです。多層の同心円を1本の直線が横切っていますが、曲線に影響されて、直線が曲がって見えるのではないでしょうか。トリックアートや錯視を利用した絵画やパターンは、歴史的にも多く描かれています。それらをイメージしながら、マークとしての強さやまとまりの必要性も考慮し、スケッチを描いていきました。そこでこの円と線というシンプルな関係が浮かび上がってきたのです。そしてこの円に差し込まれた線の位置を、ときによって移動させてもいいのではないかと思いつき、円と線のいくつもの関係を検討し、結果的に可動式のマークに至りました。

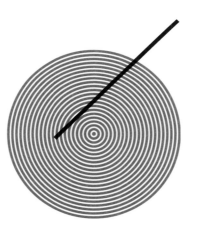

知の上の知

平凡社は、1914年に小事典の販売のために創業し、のちに大百科事典を刊行して国民的出版社に至った歴史ある出版社です。創業100年を迎え、それまで正式なシンボルマークを保有していなかったことから制作の依頼を受けました。このシンボルマークは、百科事典を思わせる分厚い1冊の本の上に、2冊の本が乗っている姿です。これは、知識の上にさらに知識が積み重なることを意味しています。先人たちの残した知識の集積である本をもとに、さらに発展していく。知識は想像の源です。人の営みにとって大切なものは、想像力と、それを形にする創造力ですが、その源である本は、それらのための栄養と言っていいでしょう。このシンボルマークは、想像／創造力の栄養である本を積み重ね、良書を刊行し続けていく平凡社の覚悟を示しています。多くのスケッチを描きましたが、このマークのためのスケッチには特に時間がかかりました。なぜなら、線で描いた本に、遠近法のパースをつけるため、何度も何度も描いては消して、パースを調整したからです。そしてこれは、コンピューターではできないことでした。

マークの元になったアイデアスケッチ

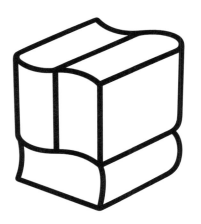

伝統の継承

幼稚園の設計、保育教材の企画開発・製造販売などを中心に広く手掛けている、福井県に本社を構える会社・ジャクエツのマークです。富山県と建築家・内藤 廣さんから、新しくできる富山県美術館の屋上の設計の依頼を受け、遊具の制作をジャクエツにお願いしたことをきっかけに、同社のCI (p.9［用語］参照)の仕事に発展しました。それまでカタカナの「ジャクエツ」をメインに使用していたロゴを、今後の海外展開なども視野に入れアルファベットにしてはどうかと提案し、「JAKUETS」のロゴを制作しました。この犬張子のマークは長年使用されてきたもので、とても可愛い存在だったことから残すべきだと思い、アルファベットのロゴとの組み合わせも無理なくできることを実際に構成して見ていただき、決定に至りました。ただし、そのまま使用するのではなく、円と犬張子の大きさや位置のバランス、色の調整を行ない、さらに立体にできるよう3Dデータ化し、社屋の看板などにはFRPによる半立体のマークを設置できるようにしました。このように、大切な財産を選択し未来に残していくことも、重要な仕事なのです。

窓から見えるP

プレステージ・インターナショナルは、「エンドユーザー（消費者）の不便さや困ったことに耳を傾け、解決に導く」を経営理念に、車の故障や事故、海外でのクレジットカードのトラブルに日本語でサポートする事業などを基盤に、広範な領域に事業を発展させている企業です。自社のアイデンティティーの再確認と新たな発展のためにマークを刷新したいとのことで、依頼を受けました。この会社の仕事は、社会のそこかしこで役に立っているものの、その姿は表に立って目に見えるものではありません。このような会社の存在をシンボリックに表現するのがマークの役割です。このシンボルマークの外形である正方形は、世のなかをトリミングしている窓を表しています。社会をよく見てみると、普段気がつかないところにPの文字が見え隠れしている。ときには目に見え、ときには見えないところでプレステージ・インターナショナルは社会のために貢献したい。そしてこれを映像にしたものが、以下のQRコードでご覧いただけます。ただの図形だけではなく、意味とともにマークのグラフィックが記憶に残ってくれることでしょう。

循環を象徴する「石」

石坂産業は産業廃棄物を扱う会社です。今でこそSDGsを通して多くの人々が環境に関心を寄せる時代になりましたが、この会社はいち早く廃棄物の再資源化や里山の再生、そして再生可能エネルギーの活用など、「循環」をキーワードにさまざまな取り組みをしてきました。新たな事業をきっかけにデザインの依頼を受けたのですが、元になる会社のマークとロゴに、この会社にとって最重要なキーワードの「循環」が表現されていません。その理由を検証すると、ステートメントに循環の文字が入っていないことに気づき、「循環をデザインする会社」という言葉を提案。それに合わせて新たなマークも制作しました。循環を円状の輪で表現することはよくあるのですが、私は以前から、同じところに戻る輪の表現に違和感を覚えていたこともあり、戻らない循環、つまりスパイラルの表現に石坂産業の「石」の漢字を重ねてマークとしました。この文字の一画めの横線、右上の明朝体の「うろこ」（p.9［用語］参照）にあたる部分を矢印にし、回転（循環）しながらときには角も曲がり、先へと向かっていく石坂産業の強い意志をそこに表現しています。

コンセプトを表した図

山の頂点を拡大すると

山川出版社は、歴史書、教科書、学習参考書で名の通った出版社です。山と川を表現した当時のマークを変更したいと依頼を受けました。幼少期から絵を描くのが好きだった自分にとって、歴史という教科はじつは苦手でした。学生時代の日本史・世界史の成績もご想像のとおり。しかしここでは、知識としての歴史ではなく、そもそも歴史とはどういうものなのかを考えることを求められている、と気づきました。歴史とは何か。素朴に思考を巡らせてみると、歴史とは人によってつくられるもので、ある部分に焦点を合わせ、言語化しビジュアル化する行為であると感じたのです。そして考案したこのマークは、三角形（山）の頂点にレンズを合わせ、拡大しているところをシンボライズしています。つまり円のなかをレンズと仮定し、下の小さな三角形（山）の上部にレンズを合わせ、頂点を拡大して見ているところです。これが、人が興味を抱き、意識しなければ現れない歴史という姿そのものを指し、常に新たなトピックに焦点を合わせ、過去の事実を探求し続ける山川出版社の姿勢を表しているのです。

旧マーク

文字の街並み

株式会社アスコットはマンションデベロッパーです。「空間は、もっと人の力になれる。」という信念のもと、現代に合うやや個性的な生活空間の提案をはじめとして、幅広く事業を展開している会社で、VI（p.9［用語］参照）の依頼を受けました。このバーコードのようなマークは、直線だけでASCOTというロゴをつくってから、ひとつひとつの文字を画ごとにバラバラにして、Aの文字の最初の一画から順番に左から並べたものです。まずASCOTの文字を見ていただき、その後文字がバラバラになり徐々に整列してマークになる動きを映像にしてプレゼンテーションしました。ASCOTの考えかたが、それぞれのビルに活かされ街を魅力的にしていく様を、抽象的な動きで表現したわけです。なぜこのような、動きを伴ったロゴの提案をしたのか。その理由は前述したように、アスコットが、ただ単に大衆的なものではなく、洗練されていながらやや個性的な空間の提案をする会社だからです。そして映像を見た人は、このマークの意味を記憶し、知らない人にも伝えたくなることでしょう。こちらのQRコードからご覧いただけます。

「ほぞつぎ」がつくる三角形

三角屋は、伝統的な建築技術で建物や空間を設計施工する京都の会社です。現地を訪れてみると、古い家屋で階段に敷かれ何百年も使用され、いい風合いに丸みを帯びた石板を所蔵していたり、古民家の解体で出た古木材を新しく造る建築や空間のために保持していたりなど、とてもユニークな会社であることが理解できました。新しくウェブサイトをつくるタイミングで、マークとロゴも刷新したいという依頼を受けました。そこで、日本の伝統的な木のつなぎかたにヒントがないだろうかといろいろスケッチをしているときに、三角という形が社名に入っているのだから、やはり三角の図形を活かしたいと素直に思えてきました。しかし単純な三角形では、この個性的な会社のマークにはなり得ません。そこに「ほぞつぎ」という組み木の考えかたをうまく入れ込めないだろうかと試行錯誤を重ねていたときに、なんと、3方向同時に外側に引かないとバラバラにできない形を発見したのです。そのマークが採用に至りました。

（※現在このマークは使用されておりません）

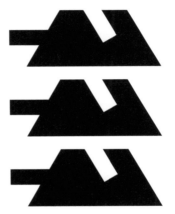

つなげると現れる

カタログギフトの会社・ハーモニックのマークです。この仕事の依頼を受けるまで、カタログギフトの世界をほとんど知りませんでした。たとえば結婚式の引き出物としてよく利用されますが、物を贈るのではなく、カタログを贈って好きな物を選んでもらうという理にかなったシステムで、近年大きなビジネスに成長していることを知りました。カタログにはさまざまな種類のものがあり、最近では、「物」ばかりではなく旅行や食事などの「事」を贈ることもできます。カタログの新しい企画を立案し、企画に合ったカタログのデザインをし、正確に送り届けるスムーズな仕組みを設計するのもこの会社の仕事です。つまり、贈る人の気持ちに寄りそい、贈られる人の気持ちも想像し、つなぐことがこの会社の存在意義でした。そうであるならば、完成し単体で完結してしまっているマークではなく、つながることによって何かの意味が現れるようなものはできないだろうかと考え、このアイデアが生まれました。贈り贈られる「気持ち」を表す形としてハート以上に普遍的な形はないので、つなげるとハートが現れる形を模索してできあがったマークです。

記憶をシンボライズする

太陽の塔は、芸術家・岡本太郎がデザインし、1970年に大阪で開催された日本万国博覧会のシンボルゾーンに造られ、その後も万博記念公園のシンボルとして残されてきました。内部展示の修繕とともに太陽の塔をリニューアルするにあたり、マークとロゴの制作依頼を受けました。太陽の塔はまさにシンボルであり、強烈な存在として多くの人の記憶に残っています。そしてその記憶はなんと言っても正面から見た姿でしょう。そう考えると、ここでの仕事はその普遍的な記憶を平面に定着させる、つまり、すでに多くの人の頭のなかにある記憶を見える化することだと気づきました。ただし、正面から見た太陽の塔は、上部に顔があり左右に手を広げているため、全体を入れると形が弱くなってしまう。そこで、きわめて印象的な中央の顔を優先し、上の顔をカットするというやや大胆な方法を用いました。そして左右から光をあて、その陰影で表現することにしたのです。さらに太陽の「太」の字の横画を腕の形にして、マークとロゴを連動させました。

太陽の塔

少しだけ新しく

黒龍（こくりゅう）酒造は、黒龍・九頭龍（くずりゅう）・石田屋などの日本酒で知られる、福井県に蔵を持つ伝統ある酒造メーカーです。パッケージデザインや地元の文化を堪能できる複合施設のVI（p.9［用語］参照）などの依頼とともに、マークの相談を受けました。結果的にこのマークは、それまで使用されていたものとほとんど変わりません。一見するとちがいに気づかないかもしれません。酒屋や酒蔵のシンボルとして軒下に下げられる「酒林」（さかばやし）（杉玉）をモチーフに45度回転させて、屋号でもある「石田屋」の「石」という漢字にかけた元々のマークは堂々として素晴らしかったので、大きく変える必要を感じませんでした。ただひとつだけ気になったことは、すべてが直線でできていることでした。それが形の弱さにつながっていると気づき、そこにわずかに曲線を与えたのです。つまり反らせることにより、形に張りを持たせることにしました。なぜなら、黒龍の力強い存在感と、甘過ぎない絶妙な張りを酒の味に感じたからです。直線だけで構成された形ではなく、そこにこだわりの張りを与え、伝統を継承しながら少しだけ新しくしたマークがここに完成しました。

旧マーク

のびやかに上昇する

Photo: Kawasumi・Kobayashi Kenji
Photograph Office

東京・赤坂にできた三井不動産レジデンシャル「パークコート赤坂檜町ザ タワー」のサイン計画（案内標識や目印）と、それに伴うシンボルのデザイン依頼を受けました。シンボルは入居者募集のための広告にも使用され、ロビーのアートワークなどにも発展させる計画とのことで、平面だけではなく、最初から立体表現も視野に入れて考えることにしました。ひと昔前は、平面のマークを決めたあとに立体映像化を検討することが通例でしたが、近年は、このように平面、立体、映像表現を視野に入れて制作することが増えています。つまり平面と立体と動きを同時にシミュレーションするわけです。檜タワーに住まう方々のイメージとも擦り合わせ、前向きに上昇する有機的で多様な形が連なるビジュアルを思いつきました。マークといえば、まずひとつの塊の形をイメージしますが、企業のシンボルマークではないので、その概念に縛られる必要はないと判断したのです。そして決定したこのマークは、ロビーでは半立体化して大きな鏡に設置され、まるで空中に物体が浮いているように見えています。

つながる笑顔

株式会社えがおは、熊本に本社を構える健康食品の会社です。新築の本社への移転に合わせ、会社のシンボルマークをあらためてつくりたいと依頼を受けました。感謝を忘れず、出会った人の心と心をつないでいくことを願いつけられた「えがお」という名前から、笑顔を超えるマークのモチーフはあり得ませんでした。ただ、スマイルマークのように笑顔をモチーフにしたマークは世界中に数多くあるはずです。そのことを想像しながら笑顔のスケッチを描き続けていたら、あるとき、目を円の上につけることを思いつきました。鼻は表情にあまり左右されず動かないため、笑顔はスマイルマークのように目と口で表現できます。しかし口は、だいたいニッコリ曲線になるでしょう。そうであれば、個性を出すポイントは目なのです。そして基本の笑顔ができましたが、何かが足りないと悩んでいたときに、つながる形を思いついたのです。左頬を凹ませることによって、隣に笑顔をつなげられる。しかもこれによって、単純な笑顔のマークに個性が生まれました。笑顔と笑顔が伝播していくマークの完成です。

偶然生まれたふたつの「門」

依頼を受けたとき、「ザ・ゲートホテル」という名前がすでに決まっていたので、「ゲート」をテーマにいくつかの案を提出し、決定したのがこの漢字「門」の横線だけをモチーフにしたマークです。門という文字は縦線と横線だけで構成された単純な形なので、まずは漢字をそのままマーク化してみましたが、それでは漢字そのものと印象がほとんど変わらず、和風感が強すぎて今回のホテルのマークにはならないと思い、別案をいくつか考えました。しかし漢字のマーク化がやはりあきらめられなかったので、後日新鮮な気持ちで一からスケッチを始めたとき、「そうだ！横線だけで表現したらどうなる？」とひらめき、夢中で形を描いてできあがったのがこのマークでした。ホテルは無事開業しましたが、その後、虎ノ門ヒルズが門の字の縦線だけを使ったとても美しいマークで登場したのです。この偶然には正直驚きました。同じモチーフでありながらこんなにも表現を変えられるという、いい手本になることでしょう。

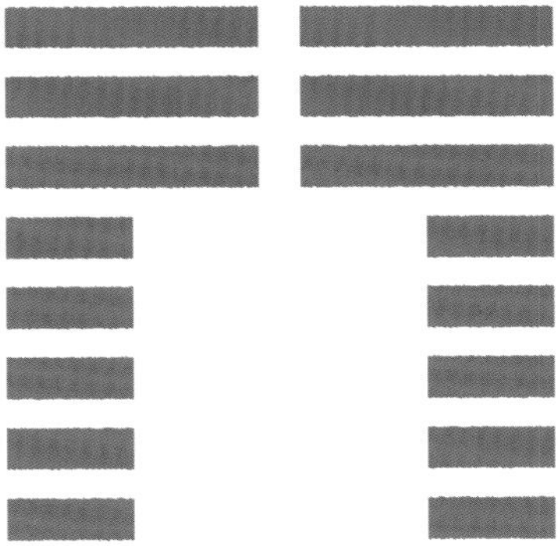

見える円、見えない円

ゼネテックは、急速に進むデジタル環境をより効率的に活かすソフトウェアとハードウェアの両方を担う会社です。具体的には、災害時にスマホがつながらなくなった環境で家族が連絡を取り合えるアプリの開発や、仮想空間と現実空間のやり取りにより、効率的にテクノロジー環境を整える「デジタルツイン」と呼ばれる技術が強みの会社です。この会社から、創業当時より使用していたマークの変更及びそれに伴う名刺デザインなどの依頼を受けました。このマークは、ふたつの円で構成されています。ひとつは左側のGで形づくる「目に見える円」。そしてもうひとつは右側の赤い点を中心にした「目に見えない円」です。この目に見える円と見えない円の共存に、目に見えない「人の安全・安心」や「作業の効率化」にゼネテックが寄り添う姿をイメージし、左側の円を物理空間、右側の見えない円を仮想空間と想定することによって、同社の強みであるデジタルツインを表現しています。創業からの伝統色である青と情熱を表す赤は、この新しいマークにも引き継ぎました。

パターンを円でトリミングする

ダイヤモンド・リアルティ・マネジメントは、三菱商事グループで不動産投資・開発・運用事業を担う会社です。マークとロゴ、そしてそれに伴うアプリケーションをこれからの時代に向けてふさわしいものにしたいと依頼を受けました。まず行なったことは、社員の方々へのインタビューです。社歴別のグループにして、私がいろいろな質問を投げかけ、場合によっては社員同士の意見交換にも発展します。質問は、働き甲斐、誇れる点、他社にはないユニークな面など。予定調和にならないよう自由にディスカッションをしてもらい、私が提案したマークについての感想もまとめてもらいました。このことにより参加意識が生まれ、いつもなら社員同士で話し合うことなどない自社のアイデンティティーについても共有できるのです。このマークは、同社の社名の一部である「ダイヤモンド」のマークがつながったパターンのなかの一部を円でトリミングしたところです。不動産のプロ集団として、世界水準で質の高いサービスを提供していくという同社のあるべき姿を表しています。

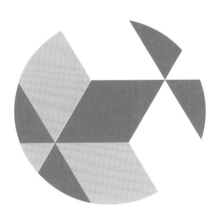

伝統と歴史

コニャックで有名なヘネシーの創業者リチャード・ヘネシーの祖国である、アイルランドで造られたピュアモルトウイスキー「ナジェーナ」のためのマークです。ナジェーナという名前は「野鴨」を意味するゲール語（アイルランドの第1公用語ながら現在はほとんど使われていない）で、18世紀にアイルランドからフランスへ野鴨のように渡ってきたという意味が込められています。ボトルとパッケージデザインの依頼を受け、ヘネシーならではの品格と、コニャックとは違うアイリッシュウイスキーとしての個性を意識し、デザインを模索しました。目指したものは、日本人がデザインしたようには見えず、いかにもフランスもしくはアイルランドでデザインされたような佇まいです。そこで、やや重厚感がある深い色のラベルに、ケルト紋様を参考にしてつくった小さなマーク、つまり紋章を入れることにしました。この紋章は、じつは2本の綱が絡み合ってできています。祖国のアイルランドとフランスの輪が絡み合いながら、ひとつの形をつくっているのです。

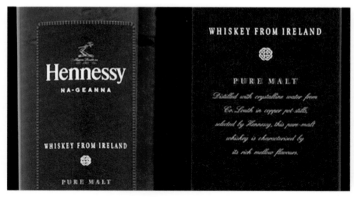

左がラベルの部分で、右がパッケージの部分。

鉱石が割れたとき

株式会社マテラは、マテラ鉱石をパウダー化し、さまざまな商品に展開している会社です。マテラとは、愛媛県にある約300万年前の地層から発見された流紋岩といわれる鉱石にこの会社がつけた通称で、それがそのまま社名になりました。この石に抗菌性などの不思議な力があることから、その効能を科学の目で25年かけて研究し、独自の技術でパウダー化して商品化にまで至っています。そのパッケージデザインなどとともに、同社のマーク制作の依頼も受けました。すでにマテラの「M」をモチーフにしたマークが存在していたのですが、今後高い品質の商品を開発販売していく会社としてふさわしいマークにするべきと社長が判断し、変更することになりました。そして考えたのが、社名と鉱石名が同一であることから、やはり素直にマテラ鉱石をモチーフにすることでした。ラフスケッチをいろいろと描いているうちに、マテラ鉱石が割れて、そこにMATERRAの頭文字である「M」が見えているというこのアイデアを思いついたのです。もちろんマークの色も素直に、マテラ鉱石の色から取っています。

マテラ鉱石

つなぐ形

HはHAMACHOの頭文字であり、それとともにHub、Hospitality、Human、Handmade、Harmony、そしてHappyの頭文字でもあります。単純明快で覚えやすいこの形に、7つの意味を込めました。そもそも浜町は江戸時代、大名家の下屋敷や蔵屋敷が並ぶ武家屋敷の町で、隅田川遊覧の起点として賑わい、多くの職人が暮らした粋で華やかな町であり、さらには物流輸送のための水運にも利用されていました。当時、じつはとても先進的な町だったのです。Hというゴシック体のモダンな文字で制作したことも、文字の周囲に細かな手仕事を想起させる痕跡を残したのも、このような土地が内包する本質に敬意を表しているからにほかなりません。そもそもHという文字は、日本建築的に解釈すると、2本の縦の柱を1本の梁でつないでいる形です。ふたつのものをつなぐ。つまりここに伝統と未来、来訪者と地元の方々、仕事と遊び、テクノロジーと手仕事などを「つなぐ形」として意味づけています。また、紺屋と呼ばれた藍染屋がこの土地に多くあったことから、色は紺色を選びました。

Photo: Nacasa & Partners Inc.

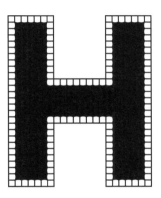

点だけ残して気配を消す

<ruby>百<rt>ひゃくもく</rt></ruby> 黙は、菊正宗酒造が開発した日本酒のブランドです。このブランディングの相談を受け、企画から入りアートディレクションを担当したのですが、ネーミングをコピーライターの日暮真三さんにお願いしました。このお酒の名前には、百黙一言＝「寡黙な人の重みのある一言」という意味が込められています。そして日本酒として常套手段ではありますが、書家に筆文字で百黙と縦書きしていただき、風合いのあるラベルに仕立てました。それまでの伝統的な辛口の酒に比べ、現代の食に合うモダンなテイストの日本酒であることから、装飾を施す路線とは一線を画し、シンプルなラベルとパッケージデザインにしました。さらにオリジナルのグラスをつくりたいとの申し出があり、形からデザインしたのですが、そこには何かしらこのブランドらしい文字を入れなければオリジナルに見えません。名前である「百黙」という筆文字ロゴを入れようと考えていましたが、この筆文字のなかにある点だけを取ってグラスに入れてみてはどうかと思いつきました。お酒を楽しんでいるときに、いかにも広告宣伝的なロゴが目に入って欲しくないだろうという配慮からです。

視界に入らないものを見える化する

このマークの下方に横たわる筒状の形は海底ケーブルを表していて、中央の青い部分は、表面の約7割が海に覆われた地球を表しています。その周囲を海底ケーブルが円状にぐるりとつないでいます。このようなことを突然説明されても、まったく意味がわからないでしょう。私も相談を受けたとき、あまりにも知らない世界の話だったため、しばし無言で説明に聞き入りました。現代の高度情報化社会を支えている技術のなかに、空を見上げるとカーナビで活躍している衛星利用の世界があるのと同様に、下方を見ると広大な海の底を這うように沈められている通信用の海底ケーブルの存在があったのです。話に聞いたことはありましたが、詳しく聞いていると、今後の国力にも関わる重大な仕事でした。つまり、海底ケーブル関連の会議やワークショップなど活発な意見交換が求められる場において、日本が高い技術力をもってインド太平洋地域の通信ケーブル市場で影響力を発揮するための旗印が欲しいということだったのです。日常生活では視界に入らないものを見える化することは、マーク制作技術の真骨頂と言えます。

光海底ケーブル。光ファイバーを用い、毎秒250テラビットもの信号が行き交う。（国際ケーブル・シップ株式会社 提供）

目黒の「目」利きたち

MISCは、東京の目黒通りを中心に60店舗のインテリアショップ、30店舗のカフェ、レストランの個性的なショップが地域の活性化を目標に掲げて2007年に結成した団体で、名前は「目黒インテリアショップスコミュニティ」の頭文字です。目黒通りは20世紀末ごろからモダンなインテリアショップができ始め、当時アンティーク家具に夢中になっていた私もよく足を運んでいました。このマークは、ほかならぬ目黒の「目」がモチーフです。ほかにもいろいろとアイデアを考えましたが、目という漢字がまずチェスト（箪笥）に見えてきて、そこに家具などの「目利き」が集うという意味を重ね、形を整えながら縦線と横線の色を変えつつ、徐々に手応えを摑んでいきました。このマークを黒一色にしてしまうと重すぎたので、横線だけを黒にしてみたのです。すると一瞬「目」という漢字に見えなくもない独特の、まるでラグ（敷物）の柄のようになりました。モチーフも料理の仕方によって、まったく異なる印象に仕上がるものです。

鉋の断面

PLANEは、インダストリアルデザイナーである渡辺弘明さん
が代表を務めるデザイン会社で、ロゴマークの相談を受けまし
た。PLANEには、大工職人が使用する道具「鉋（かんな）」という意味
があることを知りました。鉋は、歪んだ木材の面を平滑にし、
勘合（木の凹凸を合わせる）を滑らかにし、図面にない微調整を
現場で行なう際に用いられます。そのために、刃は常に研ぎ澄
まされていなければなりません。そして職人の勘によって、刃
はそのときに応じて微調整できるようにつくられています。西
洋鉋もあるようですが、和鉋はその姿も、使う人にゆだね、技
術が問われる簡単な四角い形です。すべてが必然の積み重ねに
よる極まった日本のデザインと言えます。このPLANEのマー
クは、鉋の断面と、それとまったく同じ幅に収まるPLANEの
ロゴの「対」で成り立っています。そこに、インダストリアル
デザインを軸に仕事をする会社「PLANE」にとって、常に日
本の道具「鉋」の有り様そのものでありたいという強い理念を
表しています。この形の意味がすぐにはわからないところから
質問が生まれ、会話のきっかけとなることでしょう。

髪をカットする技術

SORAは東京都内に3店舗を構える美容院です。このマークは、髪をカットしたところを抽象的に表現したものです。カットする前の輪郭は正方形。図形として基本的な形のひとつである正方形に並んだ縦の線を、ハサミで1回カットした形です。カットはヘアスタイルをつくるときのもっとも基本的な技術で、1回のカットでその美容師の技量がわかるそうです。SORAは時代とともにどれだけ新しい技術を取り入れても、常にカットの基礎を一番大切にしていることから、このようなマークのアイデアが生まれました。前に向かって時代を開拓しながらも基本を忘れない。その理念をこのマークは表現しています。カットしたときに落ちる髪が表現されている遊びの映像と画像も用意して、お渡ししました。そして横に配置したSORAのロゴは、いたってシンプルです。どこにでもある書体のようですが、この文字はSORAのためにつくっているので、世界のどこにもありません。常に人に寄り添うためにニュートラルでありながら、自分たちの個性は忘れない。ロゴはそんなSORAの姿勢を表現しています。

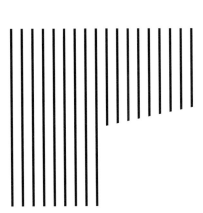

まさにコメ印

日本においてのコメづくりは、弥生時代から本格的に始まった
とされています。これは大量生産の始まりを意味していて、安
定的な食糧確保による人口増加の一方で、大飢饉をもたらすこ
ともありました。その後、食糧としてだけではなく、コメを税
として納め、稲刈り後に残る藁は、藁葺き屋根や畳床、ワラジ
になり納豆の藁苞にも使われて、経済と文化をつなぐ役割を担
うことになり、社会のシステムの重要な位置に組み込まれました。
しかしその役割は時代とともに変わっていき、縦割り社会と利
益を最優先する効率主義により分断され、値段や味にだけ興味
が集中し、日本の風景をつくってきた藁葺き屋根もほとんど見
かけなくなりました。あるとき、コメは日本という国を支えて
きた重要な要素で、これをデザインの視点で検証しておいたほ
うがいいと思い立ち、21_21 DESIGN SIGHT でコメをテーマに
展覧会を開催した次第です。展覧会のシンボルをどうしようか
と考えているときに、「そうだ、米印だ！」とひらめき、このマー
クをつくりました。マークのなかでは経済と文化を融合させ、
展覧会の内容紹介の一部としても機能させました。

Photo: Satoshi Asakawa

音をマークにする

東京千鳥屋から発売された「東京あずきグラッセ」のパッケージ用に開発したマークです。主に土産用として開発されたこのお菓子は、小豆を柔らかく炊きあげ、寒天と合わせて直方体のグラッセ状にした和菓子です。ひとつひとつ紙に包まれて箱に入っているので、箱のデザインと個包装のデザインを連動させる必要があります。土産物売り場で、箱を重ねて置いてある上に、一箱だけ蓋を開けて中身を見せているディスプレイを見たことがある方も多いでしょう。販売員がいない店頭では、見ただけで瞬時にどんなお菓子なのかを理解してもらう必要があるのです。和菓子としてありがちなデザインはいくらでもできますが、どうしたら印象的になるだろうかとアイデアを考えているうちに、「東京あずきグラッセ」という文字を「音」のイメージでビジュアル化できないだろうかと思いつきました。和菓子なので三行の縦組みにすれば、四角い箱、そして四角い個包装にもきれいに収まります。和風ににじませぼかしてできた円を、「東京」にあたる部分はリズミカルにやや小さくして並べてみたら、音のマークができあがりました。

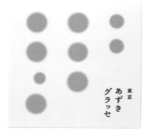

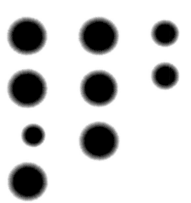

ダジャレのシンボル

茨城県ひたちなか市周辺は、全国でも有数のほしいもの生産地です。2006年に水戸芸術館現代美術ギャラリーで個展を開催したとき、ほしいもを使った商品開発に取り組み、その工程を会場で展示解説したことをきっかけに、生産に関わる方々とつながりができました。展覧会後に、補助金を使って機能食として本格的に商品開発をしたいと相談があったのですが、特定の業者が利を得ることよりも、ほしいも生産地全体のために何かできないだろうかと考え、その場で「ほしいも学校」を提案。「ほしいもを通して宇宙を見ましょう！」と熱く語ってしまいました。太陽、水、土、風、品種改良など、あらゆる角度からほしいもを解剖したい、とイメージが爆発したのです。突然の提案に皆さん驚かれていったん持ち帰られましたが、後日「やりましょう！」と連絡を受け、本の出版、セミナー、ほしいも祭や世界ほしいも大会の開催、近年はほしいも神社の創建にまで至っています。そしてある日マークが必要だと思い、この星が芋でできているダジャレのマークを提案しました。こんな変な星のマークは世界のどこにもないでしょう。

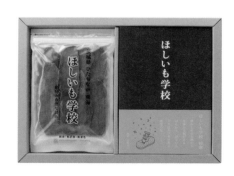

ジェンダーレス時代の課題

2022年春に竣工したシグマ（p.164参照）本社のために制作した
トイレのマークです。ジェンダーレス化が進む時代のトイレの
マークはどうあるべきかを考えました。女性がスカートを穿い
て赤い色、男性がスラックスを穿いて青い色という今までのマー
クは、再考しなければいけない大きな課題です。そこで考えた
のが、この旧来のジェンダー表現を極力排除しながらも、トイ
レのマークであることを認識できるマークです。オールジェン
ダートイレも広がりつつありますが、シグマ本社の場合は、ト
イレを女性・男性・その他と3箇所に分けて、扉にはそれとわ
かるように文字表記をつけ、廊下からトイレ方向へ曲がるとこ
ろにこのマークを設置しました。色はコーポレートカラーの黒
にしています。あくまで発案したマークではありますが、今ま
でのトイレマークを改良したものなので、世界のどこかに同じ
ようなマークがあるかもしれません。ゆえにこのマークの著作
権はフリーにしてありますので、ご自由にお使いください。

先を見通すデザインの視点

英語では、正常な視力を20/20 Vision（Sight）と表現するようです。21_21 DESIGN SIGHT は通常「トゥーワン・トゥーワン・デザインサイト」と読みますが、21_21の部分は国ごとに発音が変わっても構いません。この名称は、三宅一生さんを中心に、私を含むこの館のディレクターたちで話し合い、デザインの視点で20/20よりもさらにその先を見通す場でありたいという想いを込めて決めました。このロゴマークは一枚の鉄板からつくられたプレートが基本形で、「プロダクトロゴ」という独自の名称で呼んでいます。住居表示板のようなデザインは、この施設が「場」であることを示しています。そしてこのプレートをデザインのメタファー（隠喩）にすることによって、たとえば街にかざせば、街をデザインの視点で見てみようという意味に、食べ物にかざせば、食をデザインの視点で見てみようという意味になります。この行為により、日常生活のなかで無意識に接しているものをデザインの視点で見てみる、あるいはさらにこれから先の提案をするという、21_21の存在意義が表現できるようになっています。

21_21

21_21

Photo: Masaya Yoshimura

「あ」を目印耳印に

「デザインあ」はNHK Eテレの番組で、子どものためのデザイン教育を目的としてスタートし、企画立ち上げの段階から参加しています。この番組を展覧会化したのが「デザインあ展」です。デザインと関わりがない物事は何ひとつないというコンセプトのもと、そうであれば子どものころからデザインマインドは育んだほうがいいという想いが番組になりました。「あ」の意味は、何かを思いついたときに「あっ！」と声に出す「あ」であり、あいうえおの最初の「あ」でもあります。番組名を検討しているときに、まずデザインの番組なので「デザイン」は入れたい。しかしこれに何か言葉を足すと長くなってしまいます。もっとも短い言葉は一文字だと考えた直後に、「あっ！」と気づいたのです。「あ」しかないと。NHKの番組名としては類を見ないほど変でしたが、その「変」がいいと思ったのです。「変」には、新しい可能性があります。そして「デザインあ」という名前になり、このひらがな一文字「あ」が番組と展覧会のアイデンティティーになりました。目で見て耳で聴く、もっとも簡単で短いロゴマークと言えます。

Photo: Yusuke Nishibe

デザイン

あ

展

デザイン
あ

デザイン あ
あ

デザイン
あ

デザイン あ
シール

デザイン あ
シール 5 まい
あ

浄水の旗印

21_21 DESIGN SIGHTで、水をテーマに展覧会を企画開催しました（p.10参照）。これをきっかけに、浄水器を扱う三菱ケミカル・クリンスイから問い合わせがあり、水をテーマにした対談への出演依頼を受けました。同社のことを知らない状態で対談に参加するわけにはいかないと思っていたところ、ちょうど開催された発表会で全仕事を拝見する機会を得ました。そこでこの会社のアイデンティティーが統一されていないことを知り、対談の話を超えて、もっとも気になるそのことを担当の方に率直にお話ししたところ、話が会社全体のグランドデザイン（p.9［用語］参照）に向かうこととなり、ちょうど社名をクリンスイに改名するタイミングも重なり、あらためてマークを提案するという展開になりました。そして、水を扱う会社のマークを赤にしたのです。水は水色、つまり青いイメージがありますが、水を表現しても意味はなく、水を扱う「会社の色」であるべきと伝え、競合他社とはまったく異なる色の「赤」を提案しました。上から水が落ち、この形を通って下に落ちるときれいな水になるという、高品質な浄水の旗印として、社員の方々に共有されています。

Cleansui

TOYOBOの窓

東洋紡は、紡績を主軸にした会社として創立100周年を機に、亀倉雄策氏にロゴマークの制作を依頼しました。このロゴマークは布の巻き芯をモチーフにしたものでした。しかしその後の時代の変遷とともに、東洋紡は紡績からフィルム、樹脂、ヘルスケアなど、事業領域を広く拡大し変化してきたため、140周年を迎えるにあたりロゴマークの再検証をし、これからの時代に対応できる新しいロゴ制作を決断され、私が依頼を受けることになりました。新しいロゴには全体を囲む線がありません。より外に開かれた会社であることを示すため、あくまで開放的な印象にしています。ロゴは奇を衒わず、やや縦長のベーシックな書体を開発し、文字のなかに地球の輪郭を表す円弧を入れ、上に黒、下に青色を入れました。つまりTOYOBOのロゴが、宇宙から地球を見る「窓」という想定です。ここにこれからの東洋紡の壮大なヴィジョン、そして地球環境とともにさまざまな事業展開を積極的に試み、歩んでいくという強い決意を表現しています。ロゴ全体を窓にするため、文字と文字のあいだはやや詰め気味にしました。

卵の黄身

NHK エデュケーショナルは、NHK Eテレなどで放映される教育・教養番組や教育ツールなどを制作している会社です。会社のVI（p.9［用語］参照）を整える目的で、マーク及び名刺・封筒などの制作依頼を受けました。まず行なったことは、さまざまな部署で働く方々へのインタビューでした。会社の特徴を個人的にどう思うか、今のVIをどう感じているかなどをお聞きします。それとともに、教育を柱とするこの会社の存在意義を言語化しながら、いろいろとラフスケッチを描きます。デザインの条件は、NHK のロゴを入れること。NHK のロゴは右に傾いていて、さらに端を丸くした文字です。この文字と一体になっていなければいけないわけです。数多くのラフスケッチを描き、10近い候補を提案し、先方の社内で投票を呼びかけ、新しいロゴ決定作業への社員の参加意識を高めていただきました。決定したロゴは、この卵の黄身のなかにNHK EDU という文字が入っているもの。ここに、栄養がたっぷり詰まった卵の黄身のような情報を、壊れないように丁寧に届ける会社であるという意味を込めています。

ラフスケッチの一部

窓のロゴ

「ほぼ日」は、ご存じの方も多いと思いますが、糸井重里さんが率いるとてもユニークな会社で、以前から「ほぼ日手帳」のデザインを私の会社TSDOが担当しており、長年お世話になってきました。そして会社が上場するタイミングで、ロゴを制作したいと糸井さんから依頼を受けました。「ほぼ日」は、同じ形のひらがなふたつと漢字ひとつの単純な構成でできている名前なので、これをそのまま印象的にすれば、ロゴでもあるしマークにもなります。短い文字数の会社名は、ロゴを印象的にすれば、そのままマークとしての役割も持たせられるわけです。この考え方をもとに、10案ほど作って提案してみました。糸井さんは社員の方々の意見も聞かれ、あまり討論では話題にのぼらなかった案に決定したと後日報告を受けました。文字がひとつひとつ窓になっているこの案は、「向こう側の空気とこちら側の空気が通るようで、気持ちいいんですよ」と糸井さんは伝えてくれました。まずは仕事を興した方の気持ちが宿るロゴであることが大切なのではないかと、あらためて気づかせてくれた仕事でした。

不採用案の一例©TSDO

ほぼ日

アウトドアの起点

A&Fは、1977年創業のアウトドアスポーツ用品を輸入販売する会社です。多くの海外ブランドのロゴが強い印象を持っていることを実感し、あらためて自社のアイデンティティーを確立したいと相談を受け、マークも新規に制作することになりました。決定したマークは、テントをシルエットにしています。テントはアウトドア生活の起点です。つまり、A&Fは「アウトドアスポーツの起点」であるという考え方をもとにしてデザインしました。ここからアウトドアの新しい発想が生まれ、より優れた道具が提案され、人と人がつながる。そして進化を重ねたテントは軽くて持ち運びやすく、丈夫で誰にでも組み立てられ片付けられるようになっており、アウトドアグッズのなかでもっとも21世紀的なプロダクトの象徴とも言えます。マークには、そこにあえて華やかに自己主張する方向とは真逆の、やさしく周囲の自然に馴染む深い緑色を与えました。周囲の環境に自然と調和しながら、アウトドアの起点になる、そんなA&Fのあるべき姿がここに表現されています。

日の丸と格子

日本遺産は、文化庁が認定する、日本の文化遺産保護制度です。各地域の魅力あふれる有形・無形の文化財群を、地域が主体となって整備活用し、国内外へ発信することで地域活性化の促進となることを目的として施行されました。認定された地域のさまざまなところに制作したマークがつくわけですから、まずは「日本」がわかるマークであるべきだと思い、日の丸を連想する赤い丸をモチーフに。そのほかにもあらゆる可能性を探り、鳥居のようなアイコンを取り入れた案なども制作し提案してみました。そして決定したのが、この赤い丸の下に格子のように「JAPAN HERITAGE」の文字がついている案です。やはり赤い丸以上に、誰もがひと目でニュートラルに日本とわかるモチーフはないということと、特定の宗教を連想させるイメージや、特定の物をモチーフにするのは公平性という意味においても避けなければならないことを踏まえて検討した結果、これが選ばれました。線である格子が面に見えるところに、ひとつの遺産ではなく、地域の文化を面で捉えて認定する、「日本遺産」の特徴を表現しています。

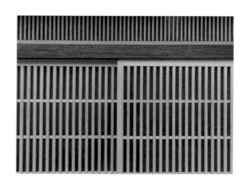

グローバル化時代のロゴ

ZENB（ゼンブ）は、栄養があるのに捨てられてしまう植物の皮、芯、さや、種などを余すところなく使い、健康で美味しく環境にもいい新しい食文化を提案するミツカンのブランドです。この立ち上げから参加し、ブランディング全体に関わっています。日本国内に留まらず海外でも展開する予定でスタートしたブランドのネーミング開発のなかで、野菜などの食材を皮や芯まで「全部」使っているところから、ZENBUという名前が浮上しました。これをロゴ化するにあたって、最後のUを取ってBで終えたほうが、短くなると同時に音として引き締まると感じ「ZENB」をロゴ化。しかし提案したときには、Eのなかの葉っぱの表現はなく、真っすぐの横棒でした。もう少し植物素材のブランドらしいロゴにできないだろうかという意見が海外から出たときに、ミツカンの代表者が、Eのなかに葉っぱを入れてみてはどうかと提案してくれたのです。これがとてもいいアイデアだったのですぐに取り入れ、このロゴができあがりました。いいアイデアは積極的に取り入れ、共創していくことが重要なプロセスだと思っています。以下のQRコードから、このブランドの展開例をご覧いただけます。

ZENB

「ふつう」の佇まい

牛乳のパッケージデザインの依頼を受けたときにまず考えたのは、一生活者として「ふつうであって欲しい」ということでした。店頭では目立ち、食卓ではふつうに見える。つまりこの矛盾をどう解決するかを求められている。牛乳の特徴を理解しつつ多くの案を検討中、あまり凝ったデザインをしていないように見えるものが、ありそうでないふつうの存在として魅力的に浮かび上がってきました。店頭はいかにもデザインした商品が並ぶところですが、デザインしていないように見えるデザインは相対的に目立ち、当初の課題を解決できると思ったのです。素直なネーミングも相まって、ふつうのデザインができあがりました。ロゴも、できるだけふつうに見える牛乳らしい書体を開発。太めの楷書体を基本に制作しています。最初は味のまろやかさを表現するため、文字の先をやや丸くしていましたが、最終的には、生乳らしい後味のすっきり感を出したいというクライアントの要望に応えて、シャープに尖らせました。こだわってつくるロゴは、このように最後の微調整がとても重要です。

明治

おいしい牛乳

じっくり焙煎して見つけたデザイン

銀座に、美味しいコーヒー豆を主に販売するトリバコーヒーができることになり、マーク・ロゴ・名刺やパッケージ・サインデザインなどの依頼を受けました。マークとロゴを別々にした案、それが一体になったロゴマーク案など、異なる方向で毎回５案から６案制作して提案しディスカッションを重ね、約１年半かけてこのロゴマークの決定に至りました。コーヒーは私も大好きで、朝から何杯も嗜みます。ゆえに現代のカフェ文化も含め、世界のコーヒー文化はある程度知っているつもりです。課題は、このすでにあるコーヒーらしい世界観でマークやロゴを制作するか、それとも独自の世界観で行くのか。時間をかけてミーティングを重ねた意味はここにあったと思います。ハワイ島で営むコーヒー農園を撮影しに経営者とともにロケに行ったときのことでした。突然ロック音楽の話で盛り上がり、デザインはロックであるべきと意気投合し、コーヒーブランドでは見たことがない昔のLPレコードのジャケットのようなロゴマークに決定しました。時間をかけて焙煎したコーヒーのなかに見つけた味と、イメージが重なります。

TORIBA

ロゴキャラクターというマーク

ホットヌードルは、1992年に生まれた東洋水産のブランドです。1994年に同商品をリニューアルする際、東洋水産から依頼を受けたクリエイター・佐藤雅彦さんから相談を受け、ロゴの制作やパッケージデザインの部分でプロジェクトに参加することになりました。企画の基本骨子は雅彦さんが考えたもので、ロゴキャラクターをつくってテレビCMやパッケージに使用するという計画でした。まず雅彦さんが描いたNOODLEのOOが目になっているコックさんの可愛いラフスケッチを拝見しました。そのラフでは、目のすぐ上に帽子がのっていて、さらにその上にHOTの文字が描かれていたのですが、HOTと帽子を上下入れ替えてみてはどうかとご相談し、文字の太さや、麺を感じさせる角の丸みを調整してこのロゴマークに仕上げました。このキャラクターが雅彦さんの独特の演出によりテレビCMで放映され、パッケージにも大きく入り、CMとパッケージをつなぐ役割を担いつつ、当時人気を博しました。

バッグのピースでつくる

BAO BAO ISSEY MIYAKEはISSEY MIYAKEのバッグブランドです。直角二等辺三角形のピースが美しく並んだパターンでできているバッグなので、その同じ三角形だけでBAO BAOという文字ができないだろうかと考え、まるでパズルのように組み合わせてできあがったものが、このロゴです。途中でAの形がかなり横長になってしまうことがわかったのですが、それがこのロゴの個性になると捉えました。このほかにも三角ピースに頼らないロゴをいくつか提案しましたが、先方の検討の結果、これに決まりました。ロゴやマークはいくらでも自由に形を作れます。それがゆえに創造性の高い作業だと思われがちですが、与えられた環境にヒントが潜んでいることが多くあります。つまりすでにそこにあるものを見つけて活かすということです。デザインはそもそもゼロから何かを生み出すことではなく、適切にあいだをつなぐ行為なので、与えられた環境に耳を澄ましてみると、大切なものが見つかることがあります。新しいものをつくるという意識が強すぎると、このようなロゴは生まれません。

Photo：Yasuaki Yoshinaga

ISSEY MIYAKE

動かせるロゴ

NHK Eテレの長寿番組「にほんごであそぼ」は、素晴らしい
日本語文化を子どもたちに伝え育んでもらいたいという想いで
スタートし、この番組制作にアートディレクターとして長年関わっ
てきました。企画アイデアを制作スタッフとともに考え、デザ
インに落とし込んでいくという仕事ですが、最初にグラフィッ
クデザインの視点で重要に感じたのが、画面に出る文字につい
てです。言葉と文字はその国の文化の中枢にあるものなので、
画面に出てくる文字を番組オリジナルのものとして制作したい
と提案しました。なぜなら、文字の造形が番組のイメージに強
く影響を及ぼすからです。ただし漢字の数はあまりにも多いので、
フォントを一から制作するのは不可能です。ゆえに既存の書体
を太らせて柔らかい独特の印象にカスタマイズし、番組タイト
ルにもこの書体を使いました。タイトルロゴは一文字一文字を
カード状にすることによって、動かすことができます。このよ
うな設定のおかげで、動きを伴う楽しい表現が可能になり、ど
う動かしても番組らしさを保てるようになりました。

©NHK

微調整して整える①

シグマは福島県の会津に工場を持つ、カメラ用交換レンズを主力にした光学機器製造企業です。製造しているレンズやデジタルカメラのほぼすべてを国内で生産し世界に展開しています。この会社のブランディングの依頼を受け、トータルに見直す作業のなかでロゴの形とバランスが気になり、修正を試みました。基本的な文字の骨格と並びを変えてしまう必要はなく、印象は変えずに整体整頓すればいいと判断し、微妙な修正だけを加えました。文字には、中心を流れる骨格があります。人間の身体にたとえると理解しやすいでしょう。姿勢が悪く背骨が曲がり、それにより筋肉のつきかたが不自然なまま長年過ごしていると、どこかに支障をきたします。ただ人間の身体は自分で治せますが、文字は手を入れなければ治りません。5つの文字の大きさのバランス。文字と文字のあいだの空き具合。それぞれの文字の形の調整。少しずつ手を入れていくと、徐々に姿勢と並びが良くなっていきます。このように、刷新するのではなく、これから30年くらいは手を入れなくても済むようにロゴを整体するという仕事も、等しく重要だと思います。

旧ロゴ

SIGMA

家は地球の上に建っている

アエラホームは、アルミ箔で家を覆い、外張断熱により冷暖房のロスを少なくした、快適な家を提供している住宅メーカーです。創業50年を前にして、あらためてCI（p.9［用語］参照）を導入したいとの依頼で仕事がスタートし、新しいマークも制作することになりました。環境に配慮した独特の設計であることが特長なので、「環境設計の家」というスローガンとともに、このマークを提案しました。住宅メーカーだから「家」がシンボライズされているのが何よりもいいわけですが、ふつうの家をマークにしても、印象的にはなりません。そこでいろいろとスケッチを描いているときに、突然「家は地球の上に建っている」と気づいたのです。あたりまえのことですが、地球は丸い。丸い地球の上に家が建っているのだから、底辺は丸くていいのではないか。ふつうは直線にしますが、丸くした家のシルエットは見たことがない。「これはいい！」と直感しました。しかもこのシルエットのなかにAERA HOMEという文字を二段組で入れると、ちょうどきれいに入るではありませんか。そして一見ふつうながら、地球というかけがえのない星の上に建っているという想いを込めたマークができあがりました。

田中一光さんの書体で

IKKO TANAKA ISSEY MIYAKEは、三宅一生さんがかつて一緒に仕事をされていたグラフィックデザイナー・田中一光さんへの尊敬の念、長年の感謝の気持ちを込めてスタートしたプロジェクトです。田中一光さんの力強い作品が生き生きと表現されたこのシリーズのロゴをつくりたいと三宅一生さんから相談を受け、オリジナルの書体を制作し始めました。そしてある時点で、田中一光さんがつくった「光朝」という書体で組むとどうなるのだろうかと思いつき、さっそく組んでみました。するとどうでしょう。あたりまえのことかもしれませんが、オリジナルでつくろうとしていたロゴは比べものにならず、極限まで細い横画、それに対して太く力強い縦画でできた光朝を超える書体はないとわかり、ロゴとして組み上げてみました。当初黒一色で制作していたロゴですが、より田中一光さんらしくするべく一文字一文字に色を入れ、ややザラついたグラデーション表現をそこに施しました。つまりここでは、既存の要素だけで充分美しいロゴが成立したのです。

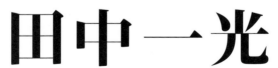

フォント「光朝」

IKKO TANAKA

ISSEY MIYAKE

Aをふたつ並べてみる

多くの人が来場する施設のロゴは、通常和英表記が必要です。神奈川芸術劇場の場合は、漢字と Kanagawa Arts Theatre という英語になります。そこにマークをつけるという前提で依頼を受けました。いろいろな方向性でアイデアスケッチをしているときに、名前が長くて覚えられないのではないかと、そもそもの問題に気がつきました。同じ問題を見事に解決した例が、ニューヨーク近代美術館でしょう。MoMA という愛称は世界中の人に覚えられています。同じことがここでできないだろうかと、英語の頭文字を並べてみると KAT になりました。「カット」という音は CUT に聞こえ、残念ながらあまりいい印象になりません。さて困ったと今一度英語のスペルを眺めていると、Kanagawa の頭の Ka を取り出すと、次の Arts の A とつながり KAAT となることを発見しました。これだけでぐんと個性的に映ると思ったのです。建築家・妹島和世さんと西沢立衛さんの素敵なユニット名 SANAA も頭をよぎりました。カットではなくカートという愛称とともに、ロゴマークができあがりました。

KAAT

掟破りのアルファベット使い

饅頭やチョコレート菓子などを製造販売する東京千鳥屋のマークです。お菓子のパッケージデザインなどの依頼とともに、紙袋などにつけるマークを制作することになりました。和菓子と洋菓子の両方を販売しているので、和にも洋にも偏らないよう配慮が必要です。たとえば筆文字でマークをつくれば和風に、アルファベットを使えば洋風になってしまいます。そこで考えたのが、アルファベットで家紋をつくるという、明治以降ところどころで見かける和洋折衷の手法です。CHIDORIYAの文字を超縦長にして格子のようにつくり、紋章の基本である円のなかに入れてみる。そこで、ちょうど頭文字のCで円をつくれば、そのなかにその後のスペルを入れることができると気づきました。そして超縦長のアルファベットを並べていくのですが、大文字だけでも小文字だけでもうまくいきません。つまり読める文字にならない。そこでさらに思いついたことが、日本人ならではの掟破り。「日本遺産」のマーク（p.151参照）と同様、大文字と小文字を勝手に混在させるという手法です。よく見ると、CHIdORIyaになっているのです。

ニュートラルで個性的な

積水化学工業株式会社のロゴです。住宅、環境・ライフライン、高機能プラスチックス、メディカルなど多様な分野においてビジネス展開をされている企業なので、特別に方向性を持たないニュートラルな、それでいて個性的なロゴがふさわしいのではないかという路線で開発しました。「ニュートラル」と「個性的」はある意味正反対ですが、これをどのように共存させるかがポイントでした。そして文字を開発するうえでは、人にやさしい、環境にやさしい、共存共生などのキーワードを頭に入れ、いろいろな書体を描きながら検討提案し、最終的にこのロゴが選ばれました。文字を長体にして角に丸みを持たせ柔らかい印象に。またやや詰め気味にし、使い勝手良くひとつの塊になるようにしたうえで、Eのなかにワンポイント＝地球を表現した赤い丸を入れ、共存共栄の雰囲気を出すとともにアクセントとしました。スタンダードに見える書体によりニュートラルな基礎をつくったうえで、赤い点で個性をつけることにより、反対の要素を共存させるという手法です。これも、正反対のものを両立させるひとつの方法だと思っています。

SEKISUI

赤い丸の一部に込めたもの

岐阜県の東濃と呼ばれる多治見市・土岐市・瑞浪市・可児市は、日本でもっとも大きな焼き物の産地で、ここでできた焼き物を美濃焼と呼びます。この産地では、志野・瀬戸黒・黄瀬戸・織部などの伝統ある陶器から、白磁などの磁器、タイル、そして安価な食器類に至るまで多様な発展を遂げてきた一方で、地域の個性がないとも言われ、世界にこの焼き物の産地をどのように伝えていくべきかが大きな課題でした。そこでこの産地のブランディングの相談を受け、気づいたのが、個性がない地域なのではなく、多様に発展したことこそが個性であるという捉え方です。長年にわたって足を運び、さまざまな活動やイベントを提案し実行しつつ、コピーライターの日暮真三さんやライターの橋本麻里さんたちの力をお借りし、この産地に「セラミックバレー」という名前をつけ、マークを制作しました。つまり、旗印がないと旗を振っても意味がないと考えたのです。このマークの右下には赤い丸の一部が見えています。この赤い丸が、地域の結束・熱い想い・日本を表し、目に見えている部分は一部である、という意味をここに込めています。

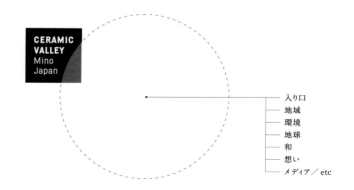

入り口
地域
環境
地球
和
想い
メディア／etc

**CERAMIC
VALLEY
Mino
Japan**

微調整して整える②

NSKは、国内ではナカニシと呼ばれ、超高速回転技術を生かした歯科医療用製品、外科医療用製品、一般産業用製品の3つの領域でグローバルに展開している企業です。栃木県鹿沼市に生産拠点を持ち、部品のほとんどを国内で製造。この世界企業のブランディングの依頼を受け、製品カタログなどのグラフィック・展示会場の空間デザイン・映像表現など、ブランド全体の世界観を構築するお手伝いをしています。初期のころ、シグマのとき（p.164参照）と同じくロゴのバランスが気になり、調整して実際に見ていただくことになりました。「ハンドピース」と呼ばれる歯科医療での主力製品を表現したNの右上が流れている線や、全体が右に傾斜している形など、基本的な形はそのままに、大きすぎるNをやや小さくし、Sの形と周囲の隙間の微調整など高性能製品のごとくかなり細かい部分に手を入れました。そして新しいアイデンティティーとして右上の尖ったところをちょうど45度に調整し、この角度もNSKのアイデンティティーにしてはどうかと提案。現在はグラフィックや空間デザインにも、この角度が活かされています。

青が旧ロゴ（1957-2019）で、赤が新ロゴ（2019-）

小さな整理整頓

東洋水産ホットヌードルのデザインをしたときに（p.158参照）、ついでに制作した、製造物責任（PL）警告表示マークです。このようなマークはパッケージの側面等に必須要素として入れるものですが、クライアントから事前に渡されたものがマークと文字が別々のもので、警告文が周囲の文字と交ざってしまい、実にレイアウトしにくいものでした。この表示マークの依頼を受けたわけではなかったのですが、マークのなかに文字を入れて正方形の形にまとめれば扱いやすいと考え、自主的に開発してみました。すると、狭い表示スペースに縦にも横にも並べることができるこのマークが評価され、採用されたのです。その後日、今度はクライアント経由で日本即席食品工業協会から採用したいとの申し出があり、許諾しました。現在はカップ麺に限らず、さまざまな商品にこのシステムが使用されています。このような「ピクトグラム」と呼ばれるもの（p.9［用語］参照）は本来マークだけで成り立たなければいけないものですが、ここではマークと文字の両方を使って、より強力に注意喚起をしているわけです。これも小さな整理整頓のデザインと言えます。

縦に置いても横に置いても
きれいに並びます。

やけど注意

ミムと蔵

ミツカンミュージアムは、愛知県半田市にできた、ミツカンの酢づくりの歴史や物づくりへのこだわり、食文化を楽しく学ぶことができる体験型の博物館です。この施設のネーミング、ロゴ、サインのデザイン、展示アドバイスなど全般にわたり依頼を受けました。提出した5案のうち、採用されたのが「ミム」と読めるこの案です。MIZKANの最初の2文字「MI」とMUSEUMの頭文字「M」をつなげると「ミム」と読めることに気づき、この愛称とともにロゴを提案したわけです。長い名前の美術館や博物館が愛称をロゴ化することは、たとえばニューヨークのMoMAのように、よくある手法なのです。そしてMIMのスケッチを描いているときに、半田の運河沿いに並ぶミツカンの蔵の形とMの形が重なり、ロゴとして成立するのではないかと思いつきました。また、深い青である紺色にした理由は、ミツカンが、水と海への感謝の気持ちを大切にしてきた企業だからです。このロゴも、与えられた条件や環境のなかに潜んでいたモチーフから制作したもののひとつです。

Photo: Takaya Sakano

卵を支えよ

InaRIS（イナリス）は、稲盛財団が2019年に始めた、基礎科学の研究を助成するプログラムです。名前は、Inamori Research Institute for Scienceの頭文字を組み合わせたもので、依頼があったときすでに「na」だけが小文字ということが決まっていました。そして決定したものが、このロゴとマークが一体になったロゴマークです。つまりロゴのなかにマークが組み込まれていて、ひとつのまとまった形を成しています。アルファベットの並びを見ると、小文字「na」の上部の窪みが特徴的だったので、素直にその文字の特徴を活かせないかと窪み部分にいろいろな形を入れてスケッチしていき、丸い形が卵に見えたその瞬間、まるでInaRISが卵を支えているかのように見えたのです。そのとき、「これはいけるかも！」とひらめきました。そして地道に研究を続ける研究者を卵に見立て、InaRISがそれを支え、大事に温めているイメージのロゴマークができあがりました。卵に施した色は、もともと鉱物の瑠璃（ラピスラズリ）からつくられた日本画材の色としても有名な青で、「磨くことによって素晴らしく輝く」という意味を込めています。

InaRIS

音楽でつなぐ

ブルーノートはニューヨークに本店をもつ有名なジャズクラブで、日本国内にもブルーノート東京を筆頭にその名を冠したクラブ、および系列店が多数あり、ブルーノート・ジャパンが運営しています。ニューヨークで長年使われてきたブルーノートの英語ロゴは、ジャズクラブのロゴとして使われてきましたが、それらを束ねているブルーノート・ジャパンのロゴをあらためて制作することになり、依頼を受けました。同社はジャズクラブだけではなく、レストランやカフェなども運営しています。ただしどのような業態であっても、音楽を中心にしたビジネスをさまざまに展開しています。音、音楽、つなぐ、間、箱、場など、いろいろなキーワードが頭のなかをよぎり次々にラフを描いていきます。そうこうしているうちに、ライブの舞台裏で配線ケーブル同士をつなぐコネクターの形が引っかかりました。つまり音楽の世界での「つなぐ形」です。その形のなかにBNを入れ、さらにBとNの左下にさり気なく音符を表すセリフ（p.9［用語］参照）をつけてみました。これにより、音楽との関係性も表現することができました。

やさしさの形

アテントは、大人用紙おむつのブランドです。店頭においてトイレットペーパーや紙おむつなどのコーナーは、パッケージに多くの文字やイラストが描かれ、性能の良さを少しでも伝えようとするがために、情報量が多い状態です。つまりゴチャゴチャしています。そんななかにあって、とにかくブランド名をすぐにわかってもらう必要があるため、アテントの文字の周りに線を回し、ロゴをマーク化しました。紙おむつのブランドなので、下側は上から落ちてくるものをやさしく受ける形にしています。そしてアテントの文字も、存在感を出すため縦画をかなり太目にしながら、横画はやや細くし、角に丸みをつけてやさしい印象にしました。このような商品の場合、あくまでも大衆的な見た目が重要です。お洒落なデザインはいくらでもできますが、シニア層の感覚も多様なため、客層を絞ってしまうようなデザインは控えるべきなのです。そしてロゴマーク上部の直線のところに、家族のイラストを組み込むことができます。これにより、商品ごとに親しみやすい世界観を演出できるようになっています。

アテント
Attento

復興とデザイン

宮城県石巻市にある木の屋石巻水産は、東日本大震災の津波で
工場が全壊しました。壊れた工場のなかに残っていた缶詰が、
生き延びるための貴重な食糧になったという話は耳にした方も
多いことでしょう。震災後、東京にいる自分にも何か力になれ
ることはないかと思案していたちょうどそのとき、知人から、
木の屋から鯨肉を使ったクジラカレーを出す企画があるが、ボ
ランティアで一緒に力になってあげられないだろうかと相談を
受けたので、喜んで引き受けました。缶詰の工場は全壊したた
め、袋入りカレーの販売から仕事を再開されたのですが、その
後内陸地に工場を新設し、念願の缶詰を販売できることになり、
そのデザインのお手伝いもしました。そんななか、木の屋のマー
クが、美味な缶詰の中身とあまりにもかけ離れているように感
じたので、勝手に制作してご提案したところ、受け取ってくだ
さったのがこのマークです。復興のお手伝いは、さまざまな形
があっていいのかもしれません。

流れに合わせた変化の必要性

世のなかでよく見る世界的ブランドのロゴも、時代とともに徐々に太さや丸みなどを変えている場合があります。それは、世界ですでに認知されているロゴという財産を残しながら、一見してわからないレベルで時代に合わせてチューニングするイメージです。時も人も、流れのなかにあるので、同じ位置を保つためには流れに合わせて動かすということです。人の記憶というものは曖昧なもので、正確に書体や太さを覚えているわけではないので、少しだけ調整する程度であれば問題ないのです。ORBISは化粧品の通信販売を主軸にしている会社です。同社のパッケージデザインなどの監修依頼を受けたとき、当初のロゴのままではあと10年もたないと感じ、依頼外の提案だったのですがロゴの調整を申し出ました。このとき、前述した時代とともに変化するロゴの話を伝え、イメージを残しながら調整をしてみました。多数の商品を扱うブランドとしてすべてを同時に変えることはできませんが、このような新旧ロゴが一時的に世間に存在しても、同じものに見えるため問題はないのです。そしてさらに戦略の刷新とともにやや洗練させ、次の時代のためのロゴをこのように制作しました。

ORBIS ▷ ORBIS ▷ ORBIS

ORBIS

本と四分休符

ブルーノート・ジャパンが経営するカフェのマークです。ブルーノートはジャズのライブを見ながら美味しい食事やお酒が楽しめる、大人のためのクラブです。この会社が、気軽に音楽と食事を楽しめるカフェを出すことになり、ネーミング制作から依頼を受けました。カフェでありライブも楽しめる場に青い本があってもいいのではないか。突然思いつき、さまざまな大きさの青い本が店内に並んでいる空間を想像すると、自然とブルーブックスカフェという名前も浮かびました。その流れるような音の響きが心地よかったのです。通常ロゴはひとつだけ制作するものですが、そのような概念に囚われない方法はないだろうかと思案しているときに、いくつかの要素が組み合わさったビジュアルをマークにできないだろうかと考え始めました。仕事の帰りに気持ちを休めるような場でもあるので、休符の形を活かせそうです。これらを組み合わせて、本と四分休符と2種類の文字で構成する、ロゴでありマークでもあるビジュアルができあがりました。

BLUE
BOOKS
cafe

マークありきのロゴの調整

JIDA（日本インダストリアルデザイン協会）のロゴを変えたいとの連絡を受けて制作しました。元のマークは亀倉雄策氏が制作されたもので、ロゴはJIDA会員による自然発生的なもの。小文字のdをシンボライズしたマークは変えずに、ロゴをマークに合わせて整えたいとのことでした。たしかにそれまで使用されてきたロゴは、マークとの親和性があまり感じられません。過去の資料を拝見すると、マークとロゴを別々に使用する場合も多かったことがわかりました。これからはマークとロゴを一体で使用するため、ロゴの調整が必要になったわけです。デザイナーが集う協会のマークなので、あまり個性的なものはふさわしくないと思いつつ、気持ち個性的なロゴ、一番シンプルなロゴ、そしてそのあいだのものという3つを提案してみたところ、協会で検討された結果、一番シンプルなものに決まりました。このロゴの一番難しかった部分は、じつはJです。左上が空いてしまうため、全体をやや平体にして、左上があまり空かないようにし、さらにJの下のアール（曲線の曲がり具合）をマークのアールに合わせるという方法を用いて仕上げました。

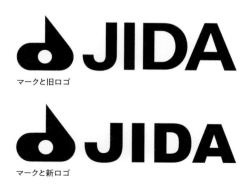

マークと旧ロゴ

マークと新ロゴ

JIDA

大地に置けるロゴプレート

株式会社ジオシステムは、大地の測量・補強擁壁や道路造成計画に関わる仕事を請け負う会社です。同社を訪問すると、いわゆるプロ仕様の大きなドローンがさり気なく置いてあり、現代の土木という仕事のスケールの巨大さを実感しました。つまり地球の大地に関わる会社なので、GEOという3文字を、地球をイメージしてそれぞれ円形にし、全体を1枚のプレート状に設定しました。プレートという「物」にすることによって、グラフィック（平面）ではマークとして使用できて、金属や樹脂のマテリアルを与えれば（立体）、どこにでも持ち運べるようになり、特定の場所に置くこともできます。つまりこのロゴプレートは、地球上のあらゆる場に設置可能です。それが、ジオグループの今後の可能性を表しています。ほかにも5案ほどまったく異なるマークのアイデアを見ていただきましたが、最終的にこの考え方が評価され、決定に至りました。そして3つのグループ会社があるため、それぞれのイメージに合わせて色を設定することにより、瞬時に違いがわかるようにしました。

ニュートラルに

『日経デザイン』は1987年に創刊された歴史あるデザイン情報誌です。社会の移り変わりとともにデザイン誌の役割も変化し、それまで日本語のロゴだった表紙のデザインを一新したいとのことで、創刊から12年経った1999年、表紙のフォーマットデザインとともにロゴ制作の依頼を受けました。表記の条件に日本語・英語の指定はなかったのですが、今後内容も変化していくだろうと想像し、ローマ字表記を主に検討することにしました。中身は日本語表記ですが、表紙のロゴをローマ字にしたほうが、記号的でビジュアルの邪魔にならず、しかもニュートラルな書体を開発できればビジュアルの個性が際立ち、毎号の変化が楽しめるのではないかと考えました。つまりロゴを顔にするのではなく、ビジュアルを主体にするという構造です。さらにNで始まりNで終わる収まり具合もいい。そしてこのロゴを、雑誌の上からやや空けたところに置いてシンプルでも視認性を良くし、中綴じなのでビジュアルを表紙から裏表紙へ自由につなげられるフォーマットにしてみました。

『日経デザイン』2016年10月号

NIKKEI DESIGN

セリフの持つ繊細さと力強さ

SMOは、「本物を未来に伝えていく」をパーパス（存在意義）に掲げ、ものの本質的な価値を見据えたパーパス・ブランディングを日本でいち早く取り入れた、企業コンサルティングを行なう会社です。CEOの齊藤三希子さんは著書『パーパス・ブランディング』（宣伝会議）の副題で、〈「何をやるか？」ではなく、「なぜやるか？」から考える〉と主張しているように、常に企業の存在意義に立ち返り、クリエイティブの力と融合させたCI（p.9 [用語] 参照）の構築を目指しています。同社のロゴの依頼を受け、キーワードをあげてみると「本物」「本質」という言葉が頭に浮かび、同時に手を動かすと、スケッチをしながら「安心」「信頼」、そして「繊細」などの言葉も浮かんできます。しかもあらゆる職種の企業に対応するため、ニュートラルな印象も必要です。そこでたどり着いたのが、横画が極端に細いセリフ（p.9 [用語] 参照）の書体。縦画はニュートラルな太さに。そしてセリフの先は、かなり繊細に尖らせました。この先端に、仕事の精度の高さを表現しています。通常「S」はかなり縦長になる文字ですが、「M」を挟んで右側の「O」とのバランスを合わせ、幅を広げ気味に制作しました。繊細でかつ力強いロゴの完成です。

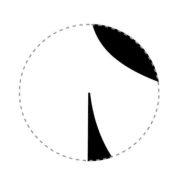

SMO

回転するロゴ

JAPANGLEは、JAPANとANGLEを合わせた造語で、NHK
Eテレの番組名です。日常的な日本の文化を海外の人の視点で
分析し、楽しく伝えるために企画された番組で、総合指導とい
う立場で制作に参加しました。公衆トイレやマンガ、寿司など、
日本にいればあたりまえのことをテーマに、新鮮な角度から映
像やアニメーションなどで見せていくという内容です。この番
組のタイトルロゴを検討することになったのですが、JAPAN
とANGLEというふたつの単語が合わさっている面白さをどう
表現するべきか。鉛筆でスケッチを描きながら、矢印というメ
タファーに引っかかり、ANGLEゆえに角度を変えることがで
きるロゴにすれば、番組内でも動かして使えると思い、ここに
集中しました。そしてJAPANを黒にして、ANGLEの部分の
地色に赤を使い、白と赤で日本らしさを表現。赤い部分が矢印
になって動くというロゴができあがりました。この回るロゴを
基本に、番組のコーナーごとのタイトルも同じ手法で制作する
ことになり、番組のひとつのアイデンティティーになりました。

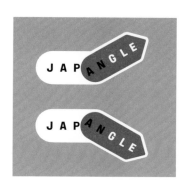

JAPANGLE

ジャズのイメージを探せ

2018年、ブルーノート東京が30周年を迎えるにあたり、マーク
とロゴの制作依頼を受けました。周年記念のマークであれば、
その年数を入れるのは鉄則です。この場合は30という数字をど
のように表現するかが問われるわけですが、ふつうに数字を並
べても面白くないので、30という数字の形で何か表現ができな
いものか、頭を切り替えながらいろいろな形を描きました。で
きるだけ個性的にしたいのですが、ブルーノートは大人のため
のジャズクラブなので、子どもっぽくはしたくありません。し
かもジャズであって、ロックやクラシックではない。どうすれ
ばジャズのイメージになるだろうか。検討しているときに、3
の数字が横から見た唇に見えてきたのです。ただそのまま3の
形を使うと、ブーとかチューといった音を出している形になっ
てしまうなと悩んでいたときに、トランペット奏者のリップの
形がひらめきました。そしてなんとか3に見えるギリギリの形
を探り、このマークに至りました。すぐにそれとわかる形では
ありませんが、ユニークで大人っぽい遊びのあるマークとして
評価され、選んでいただきました。

タグとしてのロゴマーク

袋のパッケージにそのまま水を入れて60分、お湯なら15分で美味しいご飯になる食品ブランド「尾西」のVI（p.9［用語］参照）とパッケージデザインの依頼を受けました。キャンプや山登りなどアウトドアでの食事や、災害時に役立つ食品群のため、それまでのパッケージデザインは機能的ではあれど、あまり美味しそうには見えないものでした。たとえ災害時であっても、人は美味しいものを食べたいもの。そして何より印象に残るデザインであるべきです。そこでいくつか提案したなかで、文字情報を線で囲むデザインフォーマット案が採用に至りました。ルールは、スプーンですくいあげた美味しそうな写真を入れることと、常に左上にOnisiのロゴマークが入るということ。Onishiでは文字数が多いため、hを抜いてOnisiとしてマーク化しました。このマークの右下には、多様なシーンを想定した見えない円があり、そこに差し込まれている形になっています。このようにロゴを「タグ」として想定することによって、今後あらゆるシーンにつけて発展させていくことができます。

Onisi

多数決では選ばれない

セレクトされた兵庫県のお土産を販売するショップのネーミングと、それに伴うロゴマークの依頼を受けました。新幹線の新神戸駅に直結している場所にあり、兵庫のあまり知られていない珍しい商品も積極的に販売し、県の魅力を発信する場でもあります。「見つける・探し出す」という言葉から、「発掘」というキーワードが頭に浮かびました。ふつうこのようにやや堅い印象の言葉は、一般向けの店の名前には使われません。逆にその違和感が面白いのではないかと思ったのです。これとは対照的な、いかにも現代的なものも数案提出しましたが、最終的にこの個性的なマークに決まりました。こだわりを持って商品を扱う店は、そのこだわりが名前やマークに反映されているべきです。発掘している人の姿の下にある黒い形は兵庫県のシルエットです。つまり兵庫県をショベルで掘っているところ。このように個性的なマークは、多数決ではなかなか選ばれません。誰かひとりが責任を持って決めるしかないのです。

AREMO
KOREMO
DOREMO

不採用案の一例©TSDO

兵庫県
おみあげ
発掘屋

HERE

極太に極細を

武蔵野美術大学内に、美術館と図書館が一体になった建屋が建築家・藤本壮介さんの設計により建つことになり、ロゴや館内サイン、そしてテーブルや小物などの制作依頼を受けました。名前が「武蔵野美術大学 美術館・図書館」に決まり、まずマークの制作に入りました。そこで考えたのが、新しくつくるのではなく、元武蔵美の教授・勝井三雄さんがつくったMAUというロゴを使ってうまくまとめられないだろうかという案でした。この極太のロゴはすでにマークでもあるので、MUSEUM&LIBRARYの頭文字をとったM&Lと合わせれば、MAUと並べてまとめられそうです。ただ、MAUのロゴがあまりにも太いのでM&Lをどうすればいいか。そこでいろいろとスケッチをしていくなかで、極太に極細を合わせてみてはどうかと思い立ち、バランスを整えてできたのがこのロゴです。太いMAUに爽やかな淡い色を入れ、細いM&Lを黒にしています。形と色の役割を逆転させ、強さと繊細さの両面が寄り添っているこのロゴが、館名表示板やカタログなどに展開され、アイデンティティーになりました。

Photo: Koji Udo

MAUM&L

直球勝負で

「神戸牛のミートパイ」は、バウムクーヘンで有名なユーハイムのブランドです。ネーミングとロゴ制作の依頼があったときにはすでに開店の日が迫っていて、店舗空間デザインも始まろうとしている、かなり時間がない状況でした。神戸牛を使った美味しいミートパイのお店を作るにあたり、ロゴ制作の前にまずネーミングを考えることになり、いろいろな案を検討したのですが、お洒落な名前をいくらつけても、結局中身を説明しなければ伝わりません。百貨店のなかに第一店舗目を構えることもあり、店舗周辺は雑多な情報が氾濫している景色が目に浮かびました。そのようななかでアルファベットの商品名では埋もれてしまいそうだと悩んでいたときに、「神戸牛のミートパイ」で何がいけないのかと気づいたのです。これは「ニッカ ピュアモルト」や「明治おいしい牛乳」にも通じますが、凝ったネーミングではなく、そのままを名前にしたほうが直球で伝わるという手法です。無事開店に間に合い、開店と同時に行列ができました。これは、直球勝負が功を奏したひとつの例です。

神戸牛のミートパイ

やや密なスパイス感

スパイスをデザインするときにまず大切なことは、スパイスらしさです。牛乳は牛乳らしく、化粧品は化粧品らしく。これは基本です。ただ、その中身が画期的に変わる場合は、逆に「らしくないデザイン」をする場合もあります。常に中身に拠ります。このロゴがついたシーズニングは小袋に入っていて、簡単にスパイスが効いた料理がつくれる50種類以上のアイテムに発展したブランドです。お手頃な価格でさまざまな風味を手軽に楽しめます。このような意味でも、パッケージデザインはいかにもスパイスらしい香りを感じる楽しそうなイメージにしたいと思いました。つまり小さな袋であれば、遠くから見るとややゴチャゴチャしているように見えるものです。しかし、デザインにはフォーマットがあって、それがブランドアイデンティティーになっているデザインは可能だろうかと考え、パッケージデザインフォーマットとともにロゴの見えかたを検討しました。文字要素は通常少なめに抑えるものですが、ここでは四段の文字を四角のなかに入れてあります。

水分子の角度

ブルーノート・ジャパンが神田淡路町ワテラスにカフェを出店することになり、お店のコンセプトからトータルデザインの相談を受けました。素敵な音楽と美味しい食事。旨い酒で会話が弾む。人と人がつながり豊かな時間が流れる。そんないろいろがつながる素敵な場所。そう思ったときに、隣の分子にくっつきたがる水の分子が頭に浮かびました。水の分子 H_2O は、酸素原子ひとつと水素原子ふたつが結合しています。そして結合している角度が104.5度という微妙な角度で安定することを思い出し、104.5という数字をお店の名前にしてはどうかと考えました。地球には水が液体で存在していたおかげで生命が誕生したとも言われているので、104.5は地球環境にとってもっとも重要な数字と言ってもいいでしょう。しかもかつて神田上水という上水道があった、水とは縁のある場所です。また、水はあたりまえに存在しているという理由から、あまり個性的ではなく、できるだけふつうに見える書体のロゴを制作しました。こうしてこのありがたい数字（イチマルヨンゴー）を店名にしたカフェができあがった次第です。

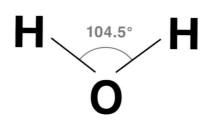

104.5

品と華やかさのバランス

松屋銀座・銀座三越・和光・東急プラザ銀座・GINZA SIX が
タッグを組んで毎年行なう、ファッション催事のためのマーク
です。この催事期間中は各店舗同じマークを掲げて告知をして、
銀座を盛り上げます。土地柄、若い人から年配の方まで幅広い
対象を想定する必要があり、ニュートラルでありながら、品格、
ファッションの華やかさ、催事感、オリジナリティーが求めら
れました。マークとロゴを分けてつくることもできますが、世
のなかにはたくさんのマークがあふれているため、形と色だけ
でつくったものは覚えてもらえないと思い、マークのなかに
GFW という頭文字を入れてはどうかと考えました。ただしひ
とつのブランドのマークではないので、催事的な華やかさや広
がりも感じられるようにするにはどうするべきか。試作をいろ
いろつくったなかに、GFW の文字を装飾に使って円周に沿っ
てあしらう案がありました。多くの案を提出しましたが、協議
会で検討された結果、このアルファベットを太陽のように飾っ
たマークが選ばれました。

神の木に隠した小鳥

10年ほど前になりますが、雑誌の対談が縁で神木隆之介さんと出会いました。神木さんは2歳でデビューして以降、子役として才能を発揮し、多くの映画やドラマに出演され、多彩な人物像をつくることができる特別な役者として成長し続けています。実際にお会いしてみると謙虚で明るく、とても透明感があり、ユニセックスな印象を持ちました。その後、神木さんがデビュー25周年記念の本を出版する際にブックデザインの相談を受け、喜んで引き受けました。装丁から自由に提案してほしいとのことだったので、いろいろとアイデアを出し、最終的に方向性の違う3案を見てもらいましたが、神木さんが選ばれたのは、私もとても気に入っていたこのマークが表紙に使われた案でした。神という漢字は偏も旁も下に棒が抜けているので、「これは木にできる」と思いついたのです。そして神木さんらしくやさしい形に仕上げました。ただ、ここにもうひとつ、物語になる隠し絵を入れたかったので、漢字のなかに小鳥を入れてみました。さて、幸せを運ぶ神木さんの小鳥はどこに？

20度回転した軌跡

2009年、渋谷の複合文化施設Bunkamuraが20周年を迎えるに
あたって制作したマークです。この年、広告や紙袋、そして店
頭バナーなどにつける周年を祝うツールとして使われました。
一見すると何だかわからない不思議なマークですが、映像を
よく見るとその意味がわかります。これは、Bunkamuraで使
用されていた楽しいイメージの手描きロゴを20度回転させて、
その軌跡をマークにしたものなのです。ほかにも、ありがちな
20th anniversaryの文字を印象的にしたマークなどを多数制作
して提案しましたが、もっとも意味がわからないこのビジュア
ル案が選ばれました。Bunkamuraは、コンサートや演劇、映画、
展覧会やイベント、芸術に関する個性的な書店の出店など、ま
さに文化的な活動の場として長く歩んできた歴史があるので、
穏当なロゴやマークではなく、斬新なものがふさわしいと、担
当者と方向性を共有することができ、採用されました。芸術の
理解があるがゆえに選んでもらえた、珍しいマークです。20度
回転させる映像を以下のQRコードからご覧ください。

カテゴリー名そのままで

資生堂※1ハンドクリームのロゴマークです。このロゴマークの特徴は、カテゴリーをマーク化しているところです。つまり「シャンプー」や「牛乳」などと同じように、分類名を印象的に見せているのであって、通常商品のように固有の名前をロゴ化しているわけではありません。このハンドクリームのパッケージデザインの依頼を受けたときに、特に名前があるわけではなく、企業名にハンドクリームがついた※2、じつにシンプルな名前だったことから、このアイデアを思いつきました。店頭では競合他社が出してくるさまざまなパッケージデザインとともに並ぶことになりますから、どのように印象的にするべきかを検討しなければいけません。その方法は、色であったり形であったり置き方であったり、または総合的に見たことがない演出だったりといろいろですが、なんでもない分類名を印象的にするという方法があれば、中身が何なのかが瞬時にわかるということと、印象的になるというふたつの機能を兼ね備えるのではないかと考えました。カテゴリー名のカタカナ表記を、英語表記で挟んだだけのシンプルきわまりないロゴマークです。

※1 2021年よりファイントゥデイ資生堂ブランド。
※2 右ページのロゴマークは発売当時のもので、現在は「ハンドクリーム」が「薬用ハンドクリーム」に変更されています。

HAND

ハンドクリーム

CREAM

復古創新

島根県大田市大森町に、世界遺産・石見銀山があります。群言堂は、松場大吉さんと松場登美さんが始めた石見銀山生活文化研究所の屋号です。彼らは古くからの街並みを残す大森町で、服のブランドを中心に、土地に根ざした生活雑貨の販売をしながら、心地良い暮らしの提案をし続けています。大田市出身の写真家・藤井保さんの紹介で、彼らの生活を知りました。自然とともに暮らすことを目的にすると、とかく現代社会を否定しがちですが、時代とうまく折り合いをつけながら生活を営んでいるそのありかたは、彼らの「復古創新」という前向きな言葉に見事に言い表されています。ここでの活動に参加しながら、今後についての議論をするなかで、それまで石見銀山と群言堂という屋号を統合した表現がなかったので、これを合体させた屋号で統一したほうがいいのではないかと、このロゴを提案しました。群言堂の文字はもともと使用されていた筆文字を使い、「群」の下に伸びた部分をやや短くし、センター合わせで並べています。このような生活文化には、あまりデザインを感じさせないほうがいいという想いが背景にあります。彼らの魅力的な生活の一端を、こちらのQRコードからご覧ください。

石見銀山

Iwamiginzan Gungendo

振動にゆだねる

21_21 DESIGN SIGHTで開催された「骨」展のためのシンボルです。この展覧会は、プロダクトデザイナーの山中俊治さんをディレクターに迎え、骨をテーマに多くのクリエイターに参加していただき、ユニークな作品が多数展示されました。この展覧会のポスター、チラシ、チケットなどのデザインを担当することとなり、「骨」という漢字をシンボルにしてはどうかと考えました。この漢字をあらためて見てみると、まるで動物の骨のようにも見えます。しかし単に漢字をビジュアルにしても面白くないので、半透明で乳白色の厚さ2mmほどのアクリル板の上に、骨という漢字を画ごとにバラバラにしたものを、まず漢字正体の状態で置きました。そして下から少しずつ振動を与え、バラバラになっていく途中の状態をビジュアルにできないかと思い、実験を繰り返したのです。この実験の映像をQRコードからご覧いただけます。その都度上から写真に撮って記録していき、いい塩梅に崩れた骨を選びました。偶然出会った文字のシンボルです。最終的な形を自然にゆだねて見つけるという行為は、まるで遺跡から見つかった人骨の形を再現するようなものに思えます。

力強く目立つ

「いちおしキムチ」は、キムチ専門メーカーである株式会社美山のブランドです。パッケージデザインリニューアルの依頼とともに、新しいロゴデザインを提案しました。元々あったパッケージは、太い枠のなかにカタカナ縦書きで「イチオシ」が記載され、小さくカタカナで「キムチ」とあり、そこにコック帽をかぶったキャラクターがついているというものでした。その第一印象は、失礼ながら率直に言うと、デザインが弱かったのです。パッケージ上にはそのほかにも効能が大きく表記されているので、情報量が多すぎて店頭では埋没してしまいます。たとえばスーパーマーケットにこの商品が置かれるコーナーは基本的にゴチャゴチャしているわけで、そこにゴチャゴチャしたパッケージを置いたら迷彩化して目立たなくなる。これは自然の摂理でしょう。そこで、あくまでもキムチらしく、しかもシンプルで目立つ方法はないか。検討しているなかで、筆文字一本で「一」をどっしりと印象的に入れ、上下に「いちおし」と「キムチ」を分けて入れてみてはどうかと思いつきました。上下両方カタカナよりも、いちおしはひらがなのほうが、力が籠ると感じたのです。

心を空っぽにする森

「空の森」は、沖縄の島尻郡八重瀬町にできた不妊治療専門クリニックの名前です。それまで開院していた小さな不妊治療院では手狭になったため、広い敷地への移転に伴って全体のクリエイティブディレクションの依頼を受けました。つまり、場所だけが決まっている段階からすべてを任されました。そこでたどり着いたコンセプトが、「空の森」です。まず、沖縄本島の南部は森が少ないことに気づき、これをきっかけに森を増やせたらどうだろうかと考えました。森はそもそも多様な生命が育まれる場所です。そして女性からストレスを取り除くと妊娠の確率が上がることが証明されていると聞き、「空」の文字が浮かびました。空はSKYの空（そら）でもありますが、からっぽの空（から）でもあります。心を休めて一度空っぽになっていただく。そのために空間はリゾートのように設（しつら）え、名前はコンセプトをそのまま使うことにしました。空と森のあいだの「の」の周りに円があり、この円の周りを空と森が回ることによって、横組みや斜め組みも可能になっています。

メインビジュアル（絵：黒塚直子）

空の森

女性、オレンジ、海、そしてスポーツ感

アランマーレは、プレステージ・インターナショナル（p.82 参照）が設立したスポーツチームの名前です。名前の由来は、イタリア語でオレンジを意味する arancia と海を意味する mare を合わせた造語。地域の活性化と女性が活躍できる場をつくるという意味で、同社の施設がある秋田にバスケットボールチーム、山形にバレーボールチーム、富山にハンドボールチームを設立するにあたり、ロゴ制作の依頼を受けました。女性のチームであること、名前の由来であるオレンジの美味しそうなイメージ、そして海の大らかさを頭に入れながら、当然スポーツチームらしいロゴを検討することになりました。文字数が多いことから、英文字の筆記体であるカリグラフィーで文字間を詰めれば、使いやすい長さになると考え、ギュッと詰め気味に流れるような文字を鉛筆で描いていきました。前後に跳ねの表情も足すとまるでオレンジジュースのようなロゴができあがりました。そして各チームのロゴマークに仕上げ、「アラマちゃん」という名前のキャラクターを提案。現在、このロゴマークを背負ったチームが各地で奮闘中です。

アラマちゃん

フリガナを忍ばせる

愛媛県八幡浜市は、四国の西海岸沿いにあるみかんの産地で、真穴みかんと呼ばれる小ぶりで甘く、酸味がほどよく効いた美味しいみかんが収穫できます。この真穴みかんのなかでも最高級ラインに名前をつけて、パッケージおよび販売ウェブサイトのブランディングをしたいと依頼を受けました。最初に現地を訪れて感動したことは、日本の原風景が美しい姿で残っていたことです。みかんのブランディングもさることながら、その素晴らしいみかん文化を後世に残すべきだと思い、まずは写真集の制作を提案。その後は写真家・広川泰士さんと何度も現地に赴いて撮影し、出版と同時に東京と愛媛で写真展も開催しました。ロゴマークについては、丸のなかにカタカナの「マ」の字が入っている元からのマークがとてもいいので、少しバランスを整えるだけに留め、先方の希望であった名前「貴賓」の漢字と組み合わせ、素朴な印象にするべく、このやや古めかしく見えるロゴマークを制作しました。ちなみに、難しめの漢字をわかりやすく伝えるべく、貴賓のそれぞれの「貝」のなかに「キ」「ヒン」とカタカナを忍ばせてあります。

真穴みかん

まあな

薄皮　　マ　　極甘

貴賓

あいだの形に意味がある

東京・浜田山にできたカフェのロゴマークです。SILVER LINING
には、曇った空の隙間から光が差す様子から、「希望の光」と
いう意味があります。この意味を前提に、雲と光をモチーフに
いろいろと検討して提案し、このロゴマークに決定しました。
店名を見てまず感じたのは、名前が長いということ。文字数が
多く、しかも2ワードです。これを1行で表現しようとすると、
かなり横長になります。紙のカップ、ショップカードやスマホ
の画面で見たときに、文字がかなり小さくなることを覚悟しな
ければなりません。ただ、ちょうど6文字／6文字の2ワード
は、2段にすると左右が揃います。この方針で文字を並べてみ
てから、さらに名前の意味をなんとかロゴに入れ込めないだろ
うかと試行錯誤を繰り返しました。そのうちに文字のあいだに
雲の形を表現できることがわかり、上下の文字を微調整して完
成です。グレーの色は曇った空のイメージですが、これから晴
れそうな明るいグレーに調整しています。

不採用案の一例©TSDO

SILVER LINING

アイデアは至るところに

一ノ瀬珈琲は神奈川県相模原市にある小さな珈琲店です。7年ほど前のこと、幼馴染みの一ノ瀬君から50年ぶりに連絡があり、珈琲店を始めたいとのことで、マークやロゴ、ショップカードのデザイン依頼を受けました。少し年下の一ノ瀬君は、当時どこに行くにもわれわれの後ろについてきて、いつもニコニコしていて誰からも好かれる存在でした。久しぶりに会えたことも嬉しく、力になりたいと伝え、制作に入りました。そしてマークとロゴを検討しながら、お店の色もアイデンティティーにしてはどうかと緑色を提案。珈琲店は、焙煎した豆の色である茶色がお店のそこかしこに見えるので、それに合う深めの緑色です。壁などを緑に塗って、店前を歩く人から「緑の喫茶店」と覚えてもらえるようになるといいと思ったのです。そしてそこにつけるマークが、この一ノ瀬マークです。使い勝手がいい丸のなかに「一ノ瀬」の文字を並べてみて、「ノ」のところを珈琲豆にするアイデアが浮かびました。下にある「瀬」の漢字の画数が多く、ビジュアルとしては密であることがアイデアのきっかけになったのです。

部屋の形

昔ラテンのバンドを一緒にやっていた友人が、四谷にCON TON TON VIVOという名前のライブハウスをつくるとのことで、ロゴの依頼を受けました。CONはスペイン語の前置詞で「〜とともに」を指します。TONはパーカッションを叩く音、VIVOはライブという意味で、それらをリズミカルに並べた名前です。ラテンの演奏に限らず、トークショーなど音楽に関係するさまざまなライブができる場を想定していると聞き、三角形の敷地に建つ不思議な形のビルの写真と、入居予定の地下フロアの図面を受け取りました。当初は素直に名前が読める真っ当なロゴを制作していたのですが、変わった間取りのライブハウスですし、何よりなかなか個性的な友人がやる店だと思うとこんなんじゃ面白くないと白紙に戻し、読めないような変なロゴにしてはどうかと頭を切り替えた直後、図面の形に目が留まりました。そして、部屋の形をそのままロゴマークに。超長体の文字のあいだにTONの丸ふたつを入れ、一見して読めないロゴができあがりました。個性的な場所には、一度見たら忘れない変わったマークが似合います。

ビルの壁面看板

噛みつきそうなロゴマーク

21_21 DESIGN SIGHTはさまざまなテーマでデザインの展覧会をする場所で、展覧会毎にトークショーを開催するのですが、それとは別にトークを定期的に開催してはどうかという案が浮上し、イベント名称の検討とロゴの制作をすることになりました。どの分野の方でもよく、その時々でお話を聞いてみたい方にお声掛けし、館のディレクターとトークをするという設定なので、まずクロストークという名称にしてスケッチを始めました。最初は真面目に制作していたのですが、どうも面白そうに見えないのです。これではトークもつまらなそうに感じられてしまいそうなので、まず左右から唇が向かい合っている絵を描きました。そのあいだにCROSS TALKの文字を21_21らしく入れてみたのですが、あとひと息何かが足りません。悩んでいると、突然「おそ松くん」に出てくるイヤミの出っ歯を思い出し、噛みつきそうな口を描いてみたら一気に漫画的になり、やっと面白く見えてきたのです。出っ歯具合と細かな文字のバランスを整えて、ちょっと噛みつきそうで変なロゴマークに仕上げてみました。トークの内容によって色を変えることができます。

CROSS TALK

ニュートラルなサンセリフ書体

日本デザインコミッティーは1950年代中頃、デザインを社会に
啓蒙するべく発足したデザイナーの集まりで、2022年現在は私
を含め32名、建築家や評論家などジャンルを超えた人々が参加
し、展覧会開催などの活動を続けています。発足当初から松屋
銀座と活動をともにしながら、今でも定期的に集まり、情報交
換やさまざまな問題を活発に議論する場になっています。そし
てあるとき、正式なロゴをつくることとなり、私が担当しまし
た。そこで考えたキーワードは「ニュートラル」です。コミッ
ティーはさまざまなスキルを持ったデザイナーの集まりですか
ら、ロゴはできる限り中庸であるべきです。細くもなく太くも
なく、偏った情緒的印象をできる限り排除。文字数が多いので、
どこかにありそうでじつはどこにもない書体による、ロゴの開
発です。私はラテンアルファベットの専門家ではないので、正
式な書体ルールからは逸脱している可能性が高い。しかしそれ
を認識したうえで、自分の感覚でニュートラルな文字を制作し
ました。結果的に、どこか日本的なローマ字ロゴになっている
かもしれません。

日本デザインコミッティー発足当時の討議風景
（日本デザインコミッティー 提供）

JAPAN DESIGN COMMITTEE

伝統の名前と新しさ

パッケージデザインとともに開発したこのロゴマークは、2019年までの20年間使用されました。依頼を受けた当時のザーネクリームは、薬用保湿クリームとしてすでに40年以上の歴史がある、国産クリームの王道でした。親子代々使っているような国民的な商品が今後どうあるべきか。つまり定番商品のリニューアルでした。いつも購入している人は、店頭において一瞬で「いつもの」を判断します。ゆえにまったく新しいデザインにする場合は、CMなどで新しくなったことを伝える必要があり、費用もかかります。しかし、新しい見え方にしなければリニューアルの意味がありません。そこで考えたのが、新しくなっても「ザーネクリーム」とすぐにわかるロゴマークをつくることでした。認知度があるので、名前がわかればデザインが新しくなっても問題ないということです。名前をそのまま柔らかいクリームを感じさせる形のなかに入れて、パッケージに大きく入れ、誰もがわかる新しい顔をつくりました。

（※現在は次の時代のデザインに変更されています）

15369 4649

サクマ製菓のロングセラー商品「いちごみるく」のコンビニ用に開発した小袋用商品パッケージにつけたロゴです。小分けにするため縦長の袋包材が決まっていました。定番のロゴはひらがなの「いちご」と「みるく」が横組2段になっていますが、これを縦長の袋にレイアウトすると、かなり小さくなってしまいます。日本の文字はもともと縦組みなので、「いちごみるく」を「明治おいしい牛乳」のようにそのまま縦に入れてもよかったのですが、それを上回るアイデアを思いついたのです。そもそもお菓子のデザインは楽しくあってほしいという想いがあり、小さなイタズラ心がどうしても騒ぐのです。そのアイデアが、言葉の数字化でした。「いちご」の段階で容易に1と5は連想でき、「みるく」も369に変換できるではありませんか。よく「よろしく」を4649と表記して遊んだあの方法です。そして大きくパッケージに入れ、見てもすぐにはわからない「いちごみるく」が完成しました。ただ、このコンビニ用商品の寿命は短く、残念ながらアッという間に消え去りました（涙）。

サクマ

15369

64個の動く正方形

鎌倉の建長寺に、虫好きで知られる解剖学者・養老孟司さんの発案でできた虫塚があります。建築家の隈研吾さんがデザインしたモニュメントを背景に、毎年6月4日（ムシの日）に虫供養が営まれ、私も参加しています。虫が好きな人が集まる会で、養老さんのトークショーも開かれ、少しずつその輪が広がっています。私も子どものころはクワガタが大好きで、夏の早朝は毎日のようにクワガタ獲りに森へ足を運んでいました。2019年には養老さんに監修をお願いし、21_21 DESIGN SIGHTで「虫展」を開催。多くのクリエイターの方々に参加していただき、これまでにないユニークな展示を試みました。そしてある日、虫塚にシンボルマークをつくってもいいのではないかと考え、この虫マークを養老さんに提案。嬉しそうにご了解くださり、決定しました。このマークは64（ムシ）個の正方形でできていて、虫のように動かすことができ、さまざまな虫の形をつくることも可能です。正方形は、隈さんがデザインした網状のモニュメントとも連動しています。遊びの気持ちでつくったので、今後いろいろな可能性を探るのが楽しみです。

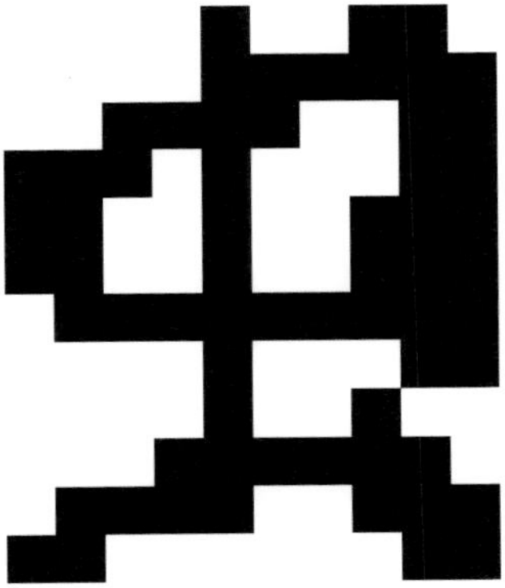

藍への愛

松屋銀座の地方創生プロジェクトの一環で、徳島県で活動している BUAISOU の皆さんと出会いました。BUAISOU は、藍の栽培から、蒅^{すくも}造り・染色・デザイン・制作まで、伝統の世界では分業化されていた藍染業を一貫して行なっている若い集団で、ワークショップなどにも力を入れていて、本物の藍染の魅力を世界に発信しています。私も現地を訪れ、藍染の現場を拝見し感銘を受けました。そして、2022年5月に東京・銀座のギンザ・グラフィック・ギャラリー（ggg）で「佐藤卓TSDO展〈in LIFE〉」を開催するにあたり、彼らに展覧会の記念になる藍染製品を一緒につくりたいと相談したところ、快諾してもらえました。その製品群のために制作したグラフィックが、この漢字の「藍」をハート型にしたマークです。つまり藍と愛をかけるといういまどき笑えないダジャレなのは承知のうえですが、この愚直で無骨なアイデアに、スマートで軽い感覚ばかりを追い求める今の社会を少しだけ風刺する気持ちを込めています。このマークが、パターンデザインの要素になって、いろいろな布製品に展開されることになりました。

マークの元になったアイデアスケッチ

あとがき

　マークを制作してクライアントにプレゼンテーションするときは、必ず複数案つくって見ていただきます。最低でも３案、多ければ10案のこともあります。基本的に提出するそれぞれは似通った案ではなく、方向性の異なるアイデアで仕上げたものです。つまり同じアイデアのバリエーションはお見せしません。

　バリエーションができた場合は、そのなかでベストの案を責任を持って選び、それだけを提出します。もちろんどの案も手を抜いていません。それではなぜ、自信を持って１案だけ提出するという方法をとらないのか。

　自信がないのか、というご意見もあるでしょう。

　そのように言われれば、自信は常にありません。

　なぜならデザインという仕事は間を適切につなぐことなので、うまくつなげているかどうかは、私が決めることではないからです。

　もし１案だけ提出するとなると、相手にとっては議論の余地なくそれを受け取るほかないので、依頼者はもはやデザイン制作に関わっていないという意識になります。

　しかし、考え方の違う案をいくつか並べると、それぞれについて感想や意見や質問が発生します。

　そこに会話が生まれるわけです。

　私は、これがとても重要だと思っています。

　さらに、方向性の違う案をつくることで、依頼者にその解説もお聞きいただき、「デザインって面白い！」と感じてもらいたいのです。

　その状態になると、検討しているデザイン作業は関係者全員にとって、きっと楽しい仕事になるはずです。

それぞれの案について討議し、修正したものを見てみたいということになれば、後日修正したものも見ていただく。無理な場合は、なぜ無理なのかを丁寧にご説明申し上げる。このような手順を踏むと、議論に関わった方々の心には、自分たちも参加して「つくった」という意識が生まれます。自分たちがつくったマークであれば、その後もずっと大切にされるでしょう。定番として残ったパッケージデザインなどを眺めてみると、交わした議論の熱量が高かったデザインの多いことに気づきます。

　紙幅の都合でこの度掲載に至らなかったもの、最終的に選択されなかったボツ案も含めると、どれだけ多くのマーク・ロゴを制作してきたか数え切れません。それぞれ、制作しているときは日の目を見ることを前提に制作し、プレゼンテーションのときはなぜそうなのかを解説し、討議したはずです。そこでの貴重な対話や経験がその後の仕事の糧になり、現在があります。この時間に関わったすべての方々に、この場をお借りしてお礼申し上げます。

　また、この本での掲載順には特別な意味はありません。『マークの本』というタイトルが決まったことにより、大きな流れとしては、マークを最初のほうに持ってきて、ロゴは後半に掲載しました。

　マーク掲載をご快諾くださったクライアントの皆様、本をともにつくりたいと声をかけてもらってから５年も根気強くお待ちいただいた紀伊國屋書店の和泉仁士さん、いつも私にもっと本を出すべきだとハッパをかけてくれて、今回の装幀もご担当いただいた芦澤泰偉さん、そして難しい製版印刷を丁寧にご対

応くださった大日本印刷の方々、資料や文章等をまとめてくれたわが社 TSDO の担当者に、ここで御礼申し上げます。

　そして最後になりますが、「マーク（mark）」という英語の言葉には、「印、痕跡、記号、商標」という意味の一方で、「汚点、傷跡」などのネガティブな意味があると承知のうえで、このタイトルをあえてつけていることをここに記しておきます。

　マークの制作には常に全身全霊で向かっていますが、それが社会の役に立っているのかどうかはデザイナーが自分で判断するのではなく、あくまでクライアント及び社会が判断することです。

　Marks by Taku Satoh ——自分のつけてきた印は汚点や傷になっていないか、人と人や物をつなぐ役割をしっかり果たしているか。常に我を疑う姿勢がとても重要であるという自戒の意味を込めたタイトルにいたしました。

2022年 4月 佐藤 卓

クレジット

通し番号｜通称（制作年）｜AD＝アート・ディレクター｜D＝デザイナー｜CL＝クライアント

001　21_21 DESIGN SIGHT 企画展「water」（2007年）｜AD 佐藤卓｜D 佐藤卓｜
　　　CL 21_21 DESIGN SIGHT

002　国立科学博物館（2007年）｜AD 佐藤卓｜D 佐藤卓、曽根友星｜CL 独立行
　　　政法人国立科学博物館

003　キッズデザイン賞（2007年）｜AD 佐藤卓｜D 佐藤卓、曽根友星｜CL 特定非
　　　営利活動法人キッズデザイン協議会

004　ロッテ キシリトールガム（1997年）｜AD 佐藤卓｜D 佐藤卓、加賀田恭子｜CL
　　　株式会社ロッテ

005　金沢21世紀美術館（2004年）｜AD 佐藤卓｜D 佐藤卓、大石一志｜CL 金沢
　　　21世紀美術館

006　アウェアネスシンボルマーク（2021年）｜AD 佐藤卓｜D 佐藤卓、鈴木文女｜
　　　CL 厚生労働省

007　全国高等学校野球選手権大会（2015年）｜AD 佐藤卓｜D 佐藤卓、三上悠里
　　　｜CL 株式会社朝日新聞社、公益財団法人日本高等学校野球連盟

008　大正製薬 ゼナ（1992年）｜AD 佐藤卓｜D 佐藤卓｜CL 大正製薬株式会社

009　吉本興業（2016年）｜AD 佐藤卓｜D 佐藤卓、三上悠里｜CL 吉本興業ホール
　　　ディングス株式会社

010　北海道大学（2006年）｜AD 佐藤卓｜D 佐藤卓、曽根友星｜CL 北海道大学

011　大地の芸術祭（2010年）｜AD 佐藤卓｜D 佐藤卓、田久保彬｜CL 大地の芸
　　　術祭実行委員会

012　ロッテ クールミントガム（1993年）｜AD 佐藤卓｜D 佐藤卓、三沢紫乃｜CL 株
　　　式会社ロッテ

013　光村図書出版（2013年）｜AD 佐藤卓｜D 佐藤卓、森智明｜CL 光村図書出
　　　版株式会社

014　山種美術館（2015年）｜AD 佐藤卓｜D 佐藤卓、日下部昌子｜CL 公益財団法
　　　人山種美術財団

015　美術出版社（2008年）｜AD 佐藤卓｜D 佐藤卓、柚山哲平｜CL 株式会社美
　　　術出版社

016　こども科学博（2019年）｜AD 佐藤卓｜D 佐藤卓、江連有美｜CL 公益財団法
　　　人稲盛財団

017　京都鳩居堂（2017年）｜AD 佐藤卓｜D 佐藤卓、山﨑友里｜CL 株式会社京
　　　都鳩居堂

018　島村楽器（1998年）｜AD 佐藤卓｜D 佐藤卓、天野和俊｜CL 島村楽器株式
　　　会社

019 グランスタ（2020年）｜ AD 佐藤卓｜ D 佐藤卓、森智明｜ CL 株式会社 JR 東日本クロスステーション

020 ちひろ美術館（1997年）｜ AD 佐藤卓｜ D 佐藤卓、加賀田恭子｜ CL 公益財団法人いわさきちひろ記念事業団

021 神戸コロッケ（2003年）｜ AD 佐藤卓｜ D 佐藤卓、日下部昌子｜ CL 株式会社ロック・フィールド

022 BS朝日（2000年）｜ AD 佐藤卓｜ D 佐藤卓、大石一志｜ CL 株式会社BS朝日

023 京都芸術大学（2000年）｜ AD 佐藤卓｜ D 佐藤卓、鈴木文女｜ CL 学校法人瓜生山学園京都芸術大学

024 YRGLM（2019年）｜ AD 佐藤卓｜ D 佐藤卓、藤巻洋紀｜ CL 株式会社イルグルム

025 エリエール（2015年）｜ AD 佐藤卓｜ D 佐藤卓、山﨑友里｜ CL 大王製紙株式会社

026 岡本太郎記念館（2013年）｜ AD 佐藤卓｜ D 佐藤卓、栗崎洋｜ CL 公益財団法人岡本太郎記念現代芸術振興財団

027 脳活総研（2019年）｜ AD 佐藤卓｜ D 佐藤卓、白石卓也｜ CL 株式会社脳活性総合研究所

028 P. G. C. D. JAPAN（2000年）｜ AD 佐藤卓｜ D 佐藤卓、三沢紫乃｜ CL 株式会社ペー・ジェー・セー・デー・ジャパン

029 山梨県立富士山世界遺産センター（2014年）｜ AD 佐藤卓｜ D 佐藤卓、杉浦草介｜ CL 山梨県立富士山世界遺産センター

030 「デザインの松屋」（2019年）｜ AD 佐藤卓｜ D 佐藤卓、鈴木文女｜ CL 株式会社松屋

031 菊正宗酒造（2020年）｜ AD 佐藤卓｜ D 佐藤卓、林里佳子｜ CL 菊正宗酒造株式会社

032 文化庁メディア芸術祭（2012年）｜ AD 佐藤卓｜ D 佐藤卓、田久保彬｜ CL 文化庁

033 平凡社（2014年）｜ AD 佐藤卓｜ D 佐藤卓、栗崎洋｜ CL 株式会社平凡社

034 ジャクエツ（2018年）｜ AD 佐藤卓｜ D 鈴木文女｜ CL 株式会社ジャクエツ

035 プレステージ・インターナショナル（2015年）｜ AD 佐藤卓｜ D 野間真吾｜ CL 株式会社プレステージ・インターナショナル

036 石坂産業（2022年）｜ AD 佐藤卓｜ D 森智明｜ CL 石坂産業株式会社

037 山川出版社（2017年）｜ AD 佐藤卓｜ D 佐藤卓、杉浦草介｜ CL 株式会社山川出版社

038 アスコット（2006年）｜ AD 佐藤卓｜ D 佐藤卓、曽根友星｜ CL 株式会社アスコット

039 三角屋（2016年）｜ AD 佐藤卓｜ D 佐藤卓、日下部昌子｜ CL 株式会社三角屋

040 ハーモニック（2012年）｜AD 佐藤卓｜D 佐藤卓、鈴木文女｜CL 株式会社ハーモニック

041 太陽の塔（2017年）｜AD 佐藤卓｜D 佐藤卓、向井翠｜CL 大阪府日本万国博覧会記念公園事務所、公益財団法人岡本太郎記念現代芸術振興財団

042 黒龍酒造（2021年）｜AD 佐藤卓｜D 江連有美｜CL 黒龍酒造株式会社

043 パークコート赤坂檜町ザ タワー（2016年）｜AD 佐藤卓｜D 佐藤卓、林里佳子｜CL 三井不動産レジデンシャル株式会社

044 えがお（2014年）｜AD 佐藤卓｜D 佐藤卓、栗崎洋｜CL 株式会社えがお

045 ザ・ゲートホテル（2012年）｜AD 佐藤卓｜D 佐藤卓、林里佳子｜CL ヒューリックホテルマジメント株式会社

046 ゼネテック（2021年）｜AD 佐藤卓｜D 佐藤卓、白石卓也｜CL 株式会社ゼネテック

047 ダイヤモンド・リアルティ・マネジメント（2017年）｜AD 佐藤卓｜D 佐藤卓、杉浦草介｜CL ダイヤモンド・リアルティ・マネジメント株式会社

048 ヘネシー・ナジェーナ（1998年）｜AD 佐藤卓｜D 佐藤卓、天野和俊｜CL MHD モエ ヘネシー ディアジオ株式会社

049 マテラ（2019年）｜AD 佐藤卓｜D 佐藤卓、日下部昌子｜CL 株式会社マテラ

050 HAMACHO HOTEL（2018年）｜AD 佐藤卓｜D 佐藤卓、江連有美｜CL 安田不動産株式会社

051 百黙（2016年）｜AD 佐藤卓｜D 佐藤卓、三上悠里｜CL 菊正宗酒造株式会社

052 SCIP（スキップ）（2020年）｜AD 佐藤卓｜D 佐藤卓、江連有美｜CL 株式会社三菱総合研究所

053 MISC（2007年）｜AD 佐藤卓｜D 佐藤卓｜CL MISC

054 PLANE（2009年）｜AD 佐藤卓｜D 佐藤卓、岡本健｜CL 株式会社プレーン

055 SORA（2013年）｜AD 佐藤卓｜D 佐藤卓、杉浦草介｜CL 株式会社SORA

056 21_21 DESIGN SIGHT 企画展「コメ展」（2014年）｜AD 佐藤卓｜D 佐藤卓、鈴木文女｜CL 21_21 DESIGN SIGHT

057 東京あずきグラッセ（2002年）｜AD 佐藤卓｜D 日下部昌子｜CL 千鳥屋総本家株式会社（同社は業務停止のため会社関係者との連絡が取れないままマークを使用した）

058 ほしいも学校（2016年）｜AD 佐藤卓｜D 佐藤卓、向井翠｜CL 一般社団法人ほしいも学校

059 トイレのマーク（2022年）｜AD 佐藤卓｜D 佐藤卓、白石卓也｜CL 株式会社シグマ

060 21_21 DESIGN SIGHT（2007年）｜AD 佐藤卓｜D 佐藤卓、大石一志｜CL 21_21 DESIGN SIGHT

061 21_21 DESIGN SIGHT 企画展「デザインあ展」（2013年）｜AD 佐藤卓｜D 林

里佳子｜CL 株式会社 NHK エデュケーショナル、21_21 DESIGN SIGHT ／「デザインあ展」グッズ（2018 年 -2021 年）｜AD 佐藤卓｜D 林里佳子、田上亜希乃｜CL 株式会社 NHK エデュケーショナル、株式会社 NHK プロモーション

062　クリンスイ（2009 年）｜AD 佐藤卓｜D 佐藤卓、曽根友星｜CL 三菱ケミカル・クリンスイ株式会社

063　東洋紡（2022 年）｜AD 佐藤卓｜D 森智明｜CL 東洋紡株式会社

064　NHK エデュケーショナル（2018 年）｜AD 佐藤卓｜D 林里佳子｜CL 株式会社NHK エデュケーショナル

065　ほぼ日（2016 年）｜AD 佐藤卓｜D 佐藤卓、日下部昌子｜CL 株式会社ほぼ日

066　A&F（2013 年）｜AD 佐藤卓｜D 佐藤卓、岡本健｜CL 株式会社エイアンドエフ

067　日本遺産（2015 年）｜AD 佐藤卓｜D 佐藤卓｜CL 文化庁

068　ZENB（2019 年）｜AD 佐藤卓｜D 佐藤卓、日下部昌子｜CL 株式会社 ZENBJAPAN（ミツカングループ）

069　明治おいしい牛乳（2001 年）｜AD 佐藤卓｜D 佐藤卓、三沢紫乃｜CL 株式会社 明治

070　トリバコーヒー（2014 年）｜AD 佐藤卓｜D 佐藤卓、鈴木文女｜CL 株式会社バードフェザー・ノブ

071　ホットヌードル（1994 年）｜AD 佐藤卓｜D 佐藤卓、古賀友規｜CL 東洋水産株式会社

072　BAO BAO ISSEY MIYAKE（2010 年）｜AD 佐藤卓｜D 佐藤卓、野間真吾｜CL ISSEY MIYAKE INC.

073　NHK E テレ「にほんごであそぼ」（2003 年）©NHK｜AD 佐藤卓｜D 三沢紫乃｜CL 日本放送協会

074　SIGMA（2013 年）｜AD 佐藤卓｜D 佐藤卓、田久保彬｜CL 株式会社シグマ

075　アエラホーム（2013 年）｜AD 佐藤卓｜D 佐藤卓、森智明｜CL アエラホーム株式会社

076　IKKO TANAKA ISSEY MIYAKE（2016 年）｜AD 佐藤卓｜D 佐藤卓、山﨑友里｜CL ISSEY MIYAKE INC.

077　KAAT 神奈川芸術劇場（2011 年）｜AD 佐藤卓｜D 佐藤卓、日下部昌子｜CL 公益財団法人神奈川芸術文化財団

078　東京千鳥屋（2000 年）｜AD 佐藤卓｜D 佐藤卓、天野和俊｜CL 千鳥屋総本家株式会社（057 と同）

079　積水化学工業（1997 年）｜AD 佐藤卓｜D 佐藤卓、加賀田恭子｜CL 積水化学工業株式会社

080　セラミックバレー（2017 年）｜AD 佐藤卓｜D 佐藤卓、鈴木文女｜CL セラミックバレー協議会

081　NSK（2019 年）｜AD 佐藤卓｜D 野間真吾（NOMA Inc.）｜CL 株式会社ナカニシ

社アミューズ

104 Bunkamura 20 周年（2009 年）｜ AD 佐藤卓｜ D 佐藤卓、中島史朗｜ CL 株式会社東急文化村

105 ハンドクリーム（1994 年 -）｜ AD 佐藤卓｜ D 佐藤卓、天野和俊｜ CL 株式会社ファイントゥデイ資生堂

106 石見銀山 群言堂（2019 年）｜ AD 佐藤卓｜ D 林里佳子｜ CL 株式会社石見銀山生活文化研究所

107 21_21 DESIGN SIGHT 企画展「骨」（2009 年）｜ AD 佐藤卓｜ D 佐藤卓、柚山哲平｜ CL 21_21 DESIGN SIGHT

108 いちおしキムチ（2021 年）｜ AD 佐藤卓｜ D 佐藤卓、白石卓也｜ CL 株式会社美山

109 空の森クリニック（2014 年）｜ AD 佐藤卓｜ D 佐藤卓、町田かおる｜ CL 医療法人杏月会

110 アランマーレ（2022 年）｜ AD 佐藤卓｜ D 野間真吾、白石卓也｜ CL 株式会社プレステージ・インターナショナル

111 真穴みかん（2008 年）｜ AD 佐藤卓｜ D 佐藤卓、福原奈津子｜ CL 真網代青果株式会社

112 シルバーライニング（2019 年）｜ AD 佐藤卓｜ D 田上亜希乃｜ CL SILVER LINING

113 一ノ瀬珈琲（2014 年）｜ AD 佐藤卓｜ D 山﨑友里｜ CL 一ノ瀬珈琲

114 CON TON TON VIVO（2021 年）｜ AD 佐藤卓｜ D 長谷川桃｜ CL CON TON TON VIVO

115 クロストーク（2021 年）｜ AD 佐藤卓｜ D 佐藤卓、白石卓也｜ CL 21_21 DESIGN SIGHT

116 日本デザインコミッティー（2001 年）｜ AD 佐藤卓｜ D 佐藤卓、大石一志｜ CL 日本デザインコミッティー

117 ザーネクリーム（1999 年）｜ AD 佐藤卓｜ D 佐藤卓、大石一志｜ CL エーザイ株式会社

118 いちごみるく（2006 年）｜ AD 佐藤卓｜ D 佐藤卓、曽根友星｜ CL サクマ製菓株式会社

119 虫塚（2021 年）｜ AD 佐藤卓｜ D 佐藤卓、向井翠｜ CL 虫塚事務局

120 BUAISOU（2022 年）｜ AD 佐藤卓｜ D 佐藤卓、田上亜希乃｜ CL 株式会社 TSDO

[著者] 佐藤 卓 (さとう・たく)
グラフィックデザイナー。1979年東京藝術大学デザイン科卒業、81年同大学院修了。電通を経て、84年佐藤卓デザイン事務所設立（現・株式会社TSDO）。▶「ニッカピュアモルト」の商品開発から始まり、「ロッテ キシリトールガム」「明治おいしい牛乳」のパッケージデザイン、「PLEATS PLEASE ISSEY MIYAKE」のグラフィックデザイン、「国立科学博物館」「全国高等学校野球選手権大会」のシンボルマーク等を手掛ける。▶NHK Eテレ「にほんごであそぼ」アートディレクター、「デザインあ」総合指導、21_21 DESIGN SIGHT館長を務めるなど多岐にわたって活動。2018年6月、日本グラフィックデザイン協会（JAGDA）会長に就任。21年紫綬褒章受章。▶著書に『クジラは潮を吹いていた。』『塑する思考』などがある。▶趣味はサーフィンとラテン音楽。

マークの本

2022年5月30日　第1刷発行
2024年3月25日　第4刷発行

著者	佐藤 卓
発行所	株式会社紀伊國屋書店 東京都新宿区新宿3-17-7 出版部（編集）電話　03-6910-0508 ホールセール部（営業）電話　03-6910-0519 〒153-8504　東京都目黒区下目黒3-7-10
装幀	芦澤泰偉
本文デザイン	五十嵐 徹（芦澤泰偉事務所）
校正協力	鷗来堂
印刷・製本	大日本印刷株式会社

ISBN978-4-314-01191-4 C0070 Printed in Japan
© Taku Satoh, 2022
定価は外装に表示してあります